Carolyn M. Miller

Eberhard Michael Iba

Auf den Spuren der Brüder Grimm von Hanau nach Bremen

DEUTSCHE MÄRCHENSTRASSEN

Eberhard Michael Iba

unter Mitarbeit von Walter Iba

Auf den Spuren der Brüder Grimm von Hanau nach Bremen

Märchen – Sagen – Geschichten

Verlag Friedrich Pustet Regensburg

CIP-Kurztitelaufnahme der Deutschen Bibliothek

Auf den Spuren der Brüder Grimm von Hanau nach Bremen:
Märchen, Sagen, Geschichten /
Eberhard Michael Iba. Unter Mitarb. von Walter Iba.
– 1. Aufl. – Regensburg: Pustet, 1978.
(Deutsche Märchenstraßen)
ISBN 3-7917-0536-9

NE: Iba, Eberhard Michael [Hrsg.]

ISBN 3-7917-0536-9

Umschlagmotiv: Dornröschenschloß Sababurg im Reinhardswald
Gesamtherstellung: Passavia Druckerei GmbH Passau
Printed in Germany 1978

Meinen Eltern in Dankbarkeit

INHALT

ZUM GELEIT

Märchen – darin besteht ihr wesentlicher Unterschied zu den Sagen – lassen sich nicht »lokalisieren«. Rotkäppchen könnte durchaus ein litauisches Bauernkind und Schneewittchen eine Tochter der Provence gewesen sein. Die Wurzeln der Märchen reichen tiefer in den Urgrund der Menschheit, als gemeinhin angenommen wird. Sie beweisen so geistige und seelische Verwandtschaft zwischen Völkern, die oft Tausende von Kilometern voneinander entfernt leben.

Daß uns ein besonders reichhaltiger und farbiger Märchenschatz erhalten blieb, verdanken wir im wesentlichen den Brüdern Jacob und Wilhelm Grimm. Im landgräflich-hessischen Hanau geboren, verlebten sie ihre Kindheit im Amtshaus von Steinau an der Straße, einem noch heute so wundersam romantischen Städtchen im Windschatten des Spessarts und des Vogelsberges. Im Kreise junger Romantiker entdeckten sie während ihres Studiums in Marburg die durch Jahrhunderte unbeachtet gebliebene Literatur des Volkes: Märchen, Verse, schlichte Geschichten voller Weisheit und Witz. In und um Kassel konnten sie dank des vorzüglichen Gedächtnisses der Niederzwehrener »Märchenfrau« Dorothea Viehmann, einer Wirtstochter hugenottischer Abkunft, den großen Schatz der fast verschütteten Volksmärchen heben, die ihren Ursprung nicht nur in deutschen Landen haben. Freunde aus dem Westfälischen und Hannoverschen steuerten Märchen aus dem Weserland bei.

Heute sind die »Kinder- und Hausmärchen« in über 140 Sprachen übersetzt. Die »Bremer Stadtmusikanten«, »Schneewittchen« oder »Hans im Glück« begeistern japanische Jungen ebenso wie die kleinen Töchter der Pußta oder Iberiens.

Vor diesem Hintergrund muß eine »Deutsche Märchenstraße«, der das vorliegende Buch gewidmet ist, mehr sein als das wohlklingende Etikett für eine weitere Touristenstraße durch Deutschland. Zu diesem Grundsatz bekannten sich die Vertreter von über 40 Landkreisen, Städten und Gemeinden zwischen Hanau und Bremen, als sie im April 1975 die Arbeitsgemeinschaft »Deutsche Märchenstraße« aus der Taufe hoben. Der neue Erlebnisweg vom Main zum Meer soll die Stätten des Lebens und Wirkens der Brüder Grimm miteinander verbinden: Hanau und Steinau, die gotische Bergstadt Marburg, Kassel und Göttingen. Er soll aber auch hinführen zu den »Schauplätzen«, die das Volk trotz aller wissenschaftlichen Beweisführung für seine Märchen, Sagen und Schwänke bestimmt hat. Ins Rotkäppchenland der Schwalm, zum Wohnsitz der Frau Holle auf dem Meißner und ins Dornröschenschloß Sababurg im hessischen Reinhardswald, weiter in die Weserwälder des »Wilden Reiters«, zum großen Fabulierer Baron Münchhausen und zu den Bremer

Stadtmusikanten. Eine »Märchenstraße« schließt auch die Sagen und Legenden ein, die Schwänke und Narreteien: die Streiche der Schwarzenbörner beispielsweise und die von »Max und Moritz«, Geschichten aus den Osterholzer Mooren und vom Seeräuber Störtebeker. Und schließlich führt die »Deutsche Märchenstraße« durch Landschaften, die vom großen Tourismus noch nicht in Mitleidenschaft gezogen wurden. Auf ihrem 600 km langen Weg durch Hessen, das niedersächsische und westfälische Weserland nach Bremen führt sie durch neun Naturparks, in ein halbes Hundert fachwerkbunter Städte und Dörfer und immer wieder zu Glanzlichtern der Architektur vergangener Jahrhunderte.
Eberhard Michael Iba, dem jetzt in der Seestadt Bremerhaven lebenden Sohn der niederhessischen Märchenstraßen-Stadt Hofgeismar, ist ebenso wie dem Verlag Friedrich Pustet für den gelungenen Versuch zu danken, neben der treffenden Kurzbeschreibung der rund 60 Märchenstraßen-Gemeinden Märchen und Sagen Hessens, des Landes an der Leine sowie des Weserlaufes zu sammeln und sie in gefälliger Form zu einer Märchen- und Sagen-Reise zu reihen. Der »Auf den Spuren der Brüder Grimm« reisende Märchenstraßen-Fahrer erhält so weit mehr als die knappe Information aus den üblichen Stadt- und Landschaftsführern. Der Blick in die kulturelle Entwicklung sowie die Geschichte der Märchenstraßen-Städte und -Gemeinden, jeweils dargestellt vor dem Hintergrund eines Märchens, einer ortsgebundenen Sage oder eines Schwankes, wird dazu beitragen, daß die Reise auf dem »fabelhaften« Urlaubsweg vom Main zum Meer noch lehrreicher und gleichzeitig vergnüglicher wird.
Möge der »märchenhafte Reiseführer« in die Hände all der Leser kommen, die sich den Sinn für echte Romantik bewahrt haben.

Kassel, im März 1978

Oswald Schröder
Vorsitzender der Arbeitsgemeinschaft
»Deutsche Märchenstraße«

VORBEMERKUNG

Dieses Buch über die DEUTSCHE MÄRCHENSTRASSE sowie über die an dieser Route liegenden Orte Hameln und Meißner enthält 60 Sagen, Geschichten und Märchen von Orten aus Hessen, Westfalen, Niedersachsen und Bremen. Es wurden auch Volkslieder (In Lauterbach hab' ich mein' Strumpf verlor'n), Streiche (Max und Moritz) u.ä. mit aufgenommen, wenn sie der Leser bereits in seiner Vorstellung mit einem bestimmten Ort verbindet.
Den Märchen oder Sagen geht jeweils eine kurze Einführung der an der DEUTSCHEN MÄRCHENSTRASSE gelegenen Städte und Gemeinden voran; Aufnahmen von den Sehenswürdigkeiten, Besonderheiten o.ä. des jeweiligen Ortes vermitteln dem Leser einen ersten optischen Eindruck. Eine Schwierigkeit für die Zusammenstellung des Manuskriptes lag darin, daß sich zwar Sagen oder Geschichten auf einen bestimmten Ort beziehen lassen, nicht jedoch Märchen, die nicht an Ort und Zeit gebunden sind. Daß aber einzelne Orte und Gegenden dennoch von der Bevölkerung mit Märchen in Zusammenhang gebracht werden, läßt sich auf das Bestreben des Volkes nach Deutung und Erklärung bestimmter Ereignisse zurückführen. Es ist z.B. nicht verwunderlich, wenn dic Schwälmer Tracht mit der für sie typischen Haube mit der Kleidung des Rotkäppchens in Verbindung gebracht wird, Frau Holle im verschneiten Meißner ihr Bett ausschütteln soll, und die Sababurg im Reinhardswald als das verwunschene Schloß des Dornröschens bezeichnet wird. Dieser volkstümlichen Auffassung bin ich bei der Zuordnung von Märchen und ihren Schauplätzen gefolgt.
Die Route der DEUTSCHEN MÄRCHENSTRASSE berührt Städte, in denen die Brüder Grimm lebten, so Hanau, ihr Geburtsort, Steinau an der Straße, die Stadt ihrer Kindheit, Marburg an der Lahn, wo die Grimms studierten, und schließlich die Universitätsstadt Göttingen, in der sie einige Jahre als Professoren tätig waren. Der Stadt Kassel und ihrem Umland sind Jacob und Wilhelm Grimm aufs engste verbunden. In der ehemaligen Residenzstadt verbrachten sie mehr als dreißig Jahre ihres Lebens; in Kassel besuchten sie die Höhere Schule, arbeiteten als Bibliothekare in der Kurfürstlichen Bibliothek und gaben ihre Kinder- und Hausmärchen heraus. Einem glücklichen Umstand ist es zu verdanken, daß die Brüder Grimm der Gastwirtstochter Dorothea Viehmann aus Kassel-Niederzwehren begegneten, die die Gewährsfrau zahlreicher Grimmscher Märchen ist.
Die Anregungen, die die Brüder Grimm zum Sammeln von Märchen und Sagen gegeben haben, blieben fruchtbar bis heute. »Sammler« waren sehr oft Lehrer, Heimatforscher oder Pfarrer und ihnen ist es zu verdanken, daß die Sagen auch kleinerer Orte niedergeschrieben wurden. Namen, wie Beneke,

Lynker, v. Pfister, Rohde oder Teiwes, sind oft nur den Ortsansässigen bekannt, trotzdem war ihre Arbeit fruchtbringend.
Was die in diesem Buch aufgenommenen Sagen- und Märchentexte anbelangt, so wurden diese, um den Charakter des Unmittelbaren und Unverfälschten zu wahren, so weit wie möglich in ihrer Originalfassung übernommen.
Mein besonderer Dank gilt meinen Eltern, den Bediensteten der Kommunalverwaltungen, der Verkehrsbüros und der Büchereien, den Ortsheimatpflegern, den Herren Fischer (Geschäftsführer der DEUTSCHEN MÄRCHENSTRASSE), Burmeister, Dr. Paetow, Vollmöller, Vondermühl, den Damen Suschke (BRÜDER GRIMM MUSEUM Kassel), Ketels und Wiebalck (Stadtbibliothek Bremerhaven) sowie den Verlagen, die freundlicherweise ihre Genehmigung zum Abdruck der einen oder der anderen Sage für diesen Band gaben, und auch all denen, die mir durch ihre tatkräftige Mitarbeit die Zusammenstellung des Manuskriptes sehr erleichterten.

Hofgeismar (Reinhardswald)
im Zentrum der Deutschen Märchenstraße
Frühjahr 1978

Eberhard Michael Iba

HANAU

Die 87000 Einwohner zählende Industriestadt Hanau, zwischen Wetterau und dem unteren Kinzigtal, liegt in einem weiten Kessel an der Mündung der Kinzig in den Main. Hanau, die Geburtsstadt der Brüder Jacob (1785–1863) und Wilhelm Grimm (1786–1859) ist Ausgangspunkt der Deutschen Märchenstraße, die am National-denkmal der Brüder Grimm vor dem historischen Rathaus beginnt und am Denkmal der Bremer Stadtmusikanten auf dem Marktplatz der Freien Hansestadt Bremen endet.

Vor 1143 muß die in einer Mainzer Urkunde erwähnte Hanauer Wasserburg angelegt worden sein, die im Jahre 1168 in den Besitz der Herren von Dorfelden, den späteren Herren und Grafen von Hanau, gelangte. 1303 verlieh König Albrecht I. (1298–1308) dem Herren Ulrich I. von Hanau für die um die Burg entstandene dörfliche Niederlassung Stadtrechte. Ab 1436 war die Stadt ständige Residenz der Grafen von Hanau, deren bedeutendster Vertreter, Graf Philipp Ludwig II. von Hanau (1580–1612), in der »Hanauer Kapitulation« vom Jahre 1597 reformierten flämischen und wallonischen Glaubensflüchtlingen aus den spanischen Niederlanden das Recht zur Gründung einer Neu-Stadt gewährte. Mit Hilfe der vertriebenen Handwerker und Kaufleute entwickelte sich Hanau zu einer blühenden Gewerbestadt. 1661 erfolgte die Gründung der ersten deutschen Fayencemanufaktur, und Hanau stieg zu einem bedeutenden Zentrum der Textilindustrie und der Goldschmiedekunst auf. Nach dem Aussterben des Hanauer Grafenhauses kam die Stadt mit der Grafschaft Hanau-Münzenberg 1736 an die Landgrafen von Hessen-Kassel.

Das historische Hanau versank im Bombenhagel des letzten Kriegsjahres in Schutt und Asche. Wiederaufgebaut wurden die Marienkirche, Pfarrkirche der Altstadt (1317 erstmals erwähnt), mit prachtvollem Chor und Resten spätgotischer Glasmalerei; die Johanniskirche aus dem 17. Jh.; die Niederländische Kirche (jetzt Pfarrkirche der Neustadt), Teil der ehemaligen Niederländisch-Wallonischen Kirche, die bedingt durch die Zweisprachigkeit der Gemeinde in den Jahren 1600–1608 als Doppelkirche erbaut worden war; das Altstädter Rathaus, ein prächtiger Fachwerkbau aus dem 16. Jh., das seit 1958 wieder als Deutsches Goldschmiedehaus dient; das Neustädter Rathaus (1725–1733), vor dem das Bronzedenkmal der Brüder Grimm steht, sowie vom zerstörten Stadtschloß das ehemalige Regierungsgebäude (jetzt Kulturhaus) und der Marstall (jetzt Stadthalle).

Ohne Kriegsschäden blieben das außerhalb des Stadtzentrums liegende Schloß Philippsruhe, eine zweigeschossige hufeisenförmige Anlage, die 1701–1712 unter Graf Philipp Reinhard von Hanau nach Entwürfen von J. L. Rothweil in Nachahmung des Versailler Schloßschemas erbaut wurde. Im Stadtteil Wilhelmsbad befindet sich in einem englischen Landschaftspark die unter Erbprinz Wilhelm IX. von Hessen-Kassel entstandene Kuranlage Wilhelmsbad (erbaut von L. von Cancrin 1777–1782), eine langgereihte Gruppe von sieben Einzelgebäuden mit dem Arkadenbau als Mittelpunkt und dem Komödienhaus am östlichen Ende der Anlage. Nach englischem Vorbild wurde von 1779 bis 1781 die künstliche Burgruine mit ihren charakteristischen Einbauten zur Hervorhebung historisch-sentimentaler Stimmungen errichtet, eine der ersten Bauten dieser Art in Deutschland.

Sehenswert: Marienkirche, Johanniskirche, ehem. Niederländisch-Wallonische Kirche, Deutsches Goldschmiedehaus, Neustädter Rathaus mit Brüder-Grimm-Denkmal, Schloß Philippsruhe, Kuranlage Wilhelmsbad.
Freizeitmöglichkeiten: Camping, Dampferfahrten, Golf, Hockey, Minigolf, Reiten, Tennis, Wandern, Wassersport; Freibad, Hallenbad, Rollschuhbahn, Waldlehrpfad, Waldsportpfad, Wildpark.
Auskunft: Magistrat der Stadt Hanau – 6450 HANAU

Der Martinswein in Hanau

Während der Minderjährigkeit des Grafen Ulrich V. von Hanau hatte der Erzbischof Johann von Mainz, als dessen Vormund, die Städte Hanau und Babenhausen mit mainzischen Söldnern besetzt, und weigerte sich nachmals unter nichtigen Vorwänden beide Städte herauszugeben. Als aber im Jahre 1419 Vormund und Mündel zugleich starben und des letzteren Nachfolger, Graf Reinhard III., vergeblich die Zurückziehung der mainzischen Besatzungen verlangte, entschlossen sich die Bürger von Hanau, diese mit Gewalt zu vertreiben und so dem Grafen zu seinem Rechte zu verhelfen. Die mainzischen Beamten in Hanau erhielten jedoch Kunde von diesem Vorhaben und ließen insgeheim Unterstützungstruppen von Mainz kommen, welche die Weisung erhielten, nachdem sie in Steinheim angekommen, hier zu verweilen, bis sie das gewöhnliche 9-Uhr-Läuten in Hanau hörten; auf dies Zeichen sollten sie anrücken und in die Stadt eingelassen werden. Die Bürger von Hanau waren aber sehr auf ihrer Hut; sie erhielten sowohl von dem Anschlage der mainzischen Beamten, als von der Ankunft der Truppen in Steinheim Kenntnis und ließen dem Grafen von allem Nachricht geben, mit der Aufforderung, sich auf diesen Abend – es war just Martinsabend – ebenfalls bereit zu halten. Das 9-Uhr-Läuten wurde unterlassen, um die mainzischen Söldner in Steinheim irre zu führen; die ganze Besatzung mit den Beamten des Erzstifts wurden zur Stadt hinausgetrieben und in der selben Nacht der Graf Reinhard mit Jubel empfangen und bis in das Schloß begleitet.
Der Graf belohnte nachmals die Treue seiner Bürger mit gebührendem Danke und verordnete, daß zur ewigen Erinnerung an diese Begebenheit alljährlich am Martinsabend jedem Bürger ein Maß Wein aus dem Schloßkeller gereicht werden sollte. Der Martinswein wurde noch im vorigen Jahrhundert an die Bürger der Altstadt ausgeteilt. Die Neustadt ist erst lange nach jenem Ereignisse angelegt worden und hatte keinen Anspruch auf den Wein. Auch unterblieb jedesmal am Martinsabend das 9-Uhr-Läuten.

Der Martinswein wird längst nicht mehr ausgeteilt. Der Brauch aber, am Abend des 10. November das Abendläuten der Marienkirche, das freilich schon seit mehr als 200 Jahren nicht mehr um neun, sondern um zehn geschieht, auszusetzen, wird heute noch geübt.

GELNHAUSEN

Am Südhang des Vogelsberges, wo sich das Tal der Kinzig zur Mainebene hin weitet, liegt die 14000 Einwohner zählende Stadt Gelnhausen.
Ein fränkischer Königshof war vermutlich Ausgangspunkt für eine erste Siedlung. Vom Mainzer Erzbischof als Lehen erwarb Kaiser Friedrich I. von Hohenstaufen (1152–1190), genannt Barbarossa, im Jahre 1165 die Hälfte der Burg Gelnhausen, die er zur Kaiserpfalz ausbaute. 1170 erhob er »Geylenhusen« zur Freien Reichsstadt, die in der Folgezeit zahlreiche Reichs- und Fürstentage erlebte. Dank seiner günstigen Verkehrslage an der damals noch schiffbaren Kinzig und am Kreuzungspunkt der Kinzigstraße und Spessart-Vogelsberg-Straße entwickelte sich Gelnhausen neben seiner politischen Bedeutung zu einem bedeutenden Fernhandelsplatz. Mit dem Erlöschen der Staufer aber verlor die Stadt ihr politisches und wirtschaftliches Gewicht. Sie wurde 1349 von Kaiser Karl IV. an Günther von Schwarzburg verpfändet und kam 1433 an die Grafen von Hanau. Im 30jährigen Krieg wurde Gelnhausen schwer getroffen; den beklagenswerten Zustand seiner verwüsteten Vaterstadt beschrieb Johann Jakob Christoph von Grimmelshausen in seinem »Simplicissimus«.
Am Obermarkt mit seinen schönen alten Fachwerk- und Steinbauten dominiert auf der Südseite das Rathaus, das im Jahr 1333 zunächst wohl als Kaufhaus gebaut, schon in der ersten Hälfte des 15. Jh.s als Rathaus seine heutige Bedeutung erhielt. Die Westseite des Obermarktes wird von der bereits 1229 erwähnten Peterskirche beherrscht, deren Bau 1234 auf päpstliche Anordnung eingestellt werden mußte und erst sehr viel später vollendet werden konnte. Nördlich des Stadtgartens liegt das älteste erhaltene Gebäude der Stadt, die wohl aus dem 9. Jh. stammende Godobertuskapelle, auch Gelakapelle genannt. Eine kunstgeschichtliche Besonderheit ist die oberhalb des Untermarktes gelegene Marienkirche. Der Glockenturm ist noch rein romanisch, während sich zum Chor hin in vorsichtiger und geschickter Weise der Stil der Gotik durchsetzt. Im Innern der Kirche sind vor allem der Sandsteinlettner mit der Darstellung des »Jüngsten Gerichts«, die Kanzel, der Hochaltar und die staufischen Chorkonsolen sehenswert. Auf dem Untermarkt, wo die Stadt Gelnhausen einem ihrer berühmtesten Söhne, dem Erfinder des Telefons Philipp Reis (1834–1874) ein Denkmal gesetzt hat, fällt das »Romanische Haus«, das deutliche Stilelemente der Kaiserpfalz aufweist, ins Auge; es wurde um 1180 erbaut und ist das älteste erhaltene Amtshaus Deutschlands. In der Kuhgasse steht das älteste gotische Fachwerkhaus Hessens aus dem Jahre 1356. Von der mittelalterlichen Stadtbefestigung sind noch große Teile der inneren und äußeren Stadtmauern erhalten, so das Haitzer Tor, das Holztor, der Hexenturm, Butterturm, Schifftorturm, Ziegeltorturm sowie der »Wehrgang«, ein Teilstück der einstigen Stadtbefestigung aus dem 14. Jh.
Die ehemalige Kaiserpfalz Gelnhausen (Ruine) ist eine Wasserburg, die auf einem Pfahlrost von ca. 20000 Eichenstämmen ruht. Sie ist etwa von 1170 bis 1200 in ihrer endgültigen Form entstanden. Über der Eingangshalle erhebt sich, von zwei stämmigen Säulen getragen, die Pfalzkapelle, an die sich mit dem Torturm der wahrscheinlich älteste Teil der Pfalz anschließt. Linker Hand erstreckt sich die noch erhaltene Palaswand, die mit ihren Dreier- und Fünferarkaden und den Ornamenten am Palaseingang reife staufische Steinmetzarbeiten zeigt.

Sehenswert: Kaiserpfalz (unter Kaiser Barbarossa erbaut), Marienkirche, Peterskirche; Romanisches Haus, Godobertuskapelle, Fachwerkhäuser, darunter das älteste gotische Fachwerkhaus Hessens (1356), Stadtbefestigung.
Freizeitmöglichkeiten: Flugsport, Minigolf, Reiten, Segelfliegen, Schießsport, Tennis, Wandern; Freibad, Hallenbad, Waldsportpfad.
Auskunft: Magistrat der Stadt Gelnhausen – 6460 GELNHAUSEN

Die Erbauung von Gelnhausen

Der edle Hohenstaufenkaiser Friedrich der Rotbart lebte noch, bevor er Herzog von Schwaben ward, auf einer väterlichen Burg in der anmutigen Wetterau. Er war damals erst 23 Jahre alt und in der ganzen Kraft der ungeschwächten Jugend. Nun hatte aber einer seiner Burgmänner eine wunderschöne Tochter, Gela geheißen, welche dem Jüngling eine innige Neigung eingeflößt hatte. Zwar gestand er ihr seine Liebe, allein das tugendhafte Mädchen, welches wohl einsah, wie sein Stand ihm jede Verbindung mit ihr unmöglich mache, wies ihn in bestimmten Worten ab, vermied auch, wo sie konnte, mit ihm zusammenzutreffen. Der junge Friedrich aber nahm sich diese hoffnungslose Liebe dermaßen zu Herzen, daß er sichtlich verfiel, und als er eines Tages doch zufällig in einem einsamen Gehölze an der Kinzig der schönen Gela, welche dort nach Kräutern suchte, begegnete, fiel er vor Schwäche zu Boden. Dies rührte das junge Mädchen dermaßen, daß sie zu ihm trat, ihn aufrichtete und sprach: »Morgen, eine Stunde vor Sonnenaufgang, findet Ihr mich in der Burgkapelle!« Friedrich, dem vor Erwartung kein Schlaf in die Augen kam, fand sich noch vor der bestimmten Stunde an dem angegebenen Orte ein und bald erschien auch Gela. Sie nahm ihn bei der Hand und führte ihn zu einer Bank in der Nähe des Altars und sprach: »Ihr liebt mich und ich liebe Euch, allein wir zwei können nie ein Paar werden, denn Ihr müßt Euch eine Frau unter den deutschen Grafen- und Herzogstöchtern suchen. Ich aber will nichts als Eure Liebe und darum schlage ich Euch vor, da ich glaube, daß Ihr derselben Ansicht seid, kommt täglich zu derselben Stunde an diesen Ort, hier können wir ohne Zeugen miteinander verkehren, und die heilige Jungfrau soll unsere Hüterin sein.« Zwar kam Friedrich dieses Verlangen anfangs etwas wunderlich vor, allein froh überhaupt ihrer Zuneigung sicher zu sein, gab er nach und die Liebenden sahen sich an dieser geweihten Stätte täglich ein ganzes Jahr lang. Da zog Kaiser Konrad mit dem Kreuzheere nach Palästina, und Friedrich mußte ihm folgen, zum letzten Male sahen sie sich in der Kirche und gelobten sich ewige Liebe. Als nun aber der junge Held sieggekrönt aus Palästina zurückkehrte und er nach dem Tode seines inzwischen gestorbenen Vaters die schwäbische Herzogskrone sich auf sein Haupt gesetzt hatte, da suchte er seine Gela auf, allein sie hatte den Schleier genommen und ihm nur einen Brief zurückgelassen, in welchem sie ihn aufforderte, sich ebenbürtig zu vermählen, da sie, wie er ja wisse, nie die seine werden könne. Dies tat er auch, er wählte sich eine Gattin, die er aber niemals geliebt hat, an der Stelle aber, auf einer Insel des Kinzigflusses, wo ihm damals Gela zuerst ihre Liebe gestanden hatte, legte er den Grundstein zu einer Stadt, deren Namen Gelnhausen an seine erste und reinste Liebe erinnern sollte.

STEINAU

Die 10500 Einwohner zählende Stadt Steinau an der Straße liegt im oberen Kinzigtal zwischen Spessart, Rhön und Vogelsberg an der Kreuzung der alten Handelsstraße Frankfurt–Leipzig. In dem ehemaligen hanauischen Residenzstädtchen verbrachten die Brüder Grimm ihre Jugend; von 1791 bis 1796 bekleidete ihr Vater Philipp Wilhelm Grimm die angesehene Stelle eines Amtmannes.
Um 900 gehörte Steinau zum Stift Fulda, das zum Schutz des Handels vermutlich eine Burg erbauen ließ und später die mächtigen Grafen von Rieneck damit belehnte. 1272 kamen Burg und das dazugehörige Territorium als Heiratsgut an Ulrich I. von Hanau (1280–1306), dem König Rudolf I. von Habsburg für »Steina« im Jahre 1290 Stadtrechte erteilte. Durch die günstige Lage an der Kinzigstraße blühte die Stadt im Mittelalter auf. Im 15. und 16. Jh. war sie Mittelpunkt der Obergrafschaft Hanau und zeitweise Nebenresidenz der Grafen von Hanau.
Steinau mit seinen schönen Baudenkmälern des Mittelalters und den alten Fachwerkhäusern ist eine romantische deutsche Kleinstadt. Aus der frühmittelalterlichen Wehrburg wurde von Baumeister Asmus in den Jahren 1528–1556 die große, von einem tiefen Trockengraben umzogene Schloßanlage mit Lang-, Eck- und Torhäusern geschaffen. Im Innern des Schlosses, das die Brüder-Grimm-Gedenkstätte beherbergt, sind der zweischiffige Erdgeschoßraum mit Netzgewölben sowie der ehemalige Bankettsaal mit Resten einer Stuckdecke sehenswert. Im 1588 erbauten Marstall des Schlosses hat das weitbekannte Steinauer Marionettentheater (Aufführung Grimmscher Märchen) seinen Sitz. In einer ständigen Ausstellung werden »Puppentheater in aller Welt« mit über 300 Figuren gezeigt.
Im 1562 errichteten hanauischen Amtshaus, einem Rechteckbau mit Freitreppe und Fachwerkobergeschoß, verlebten die Brüder Grimm ihre Jugendjahre. Das Rathaus von Steinau mit seiner großen Halle im Erdgeschoß wurde 1561 anstelle eines mittelalterlichen Kaufhauses durch Meister Asmus erbaut. Neben dem Rathaus erhebt sich die in den Jahren 1481–1511 entstandene, zweischiffige gotische Katharinenkirche. Ein beachtenswertes Zeugnis des evangelischen Barocks ist die 1724 bis 1731 unter Graf Johann Reinhard III. von Hanau für lutherische Glaubensgenossen errichtete Reinhardskirche. Ein lohnendes Ziel in der Umgebung ist die größte Tropfsteinhöhle Hessens, die sogenannte Teufelshöhle.

Sehenswert: Schloß mit Brüder-Grimm-Gedenkstätte und Marionettentheater, Amtshaus, Rathaus, Katharinenkirche, Reinhardskirche, Fachwerkhäuser, Tropfsteinhöhle.
Freizeitmöglichkeiten: Minigolf, Tennis, Wandern; Freibad, Waldlehrpfad.
Auskunft: Stadtverwaltung Steinau – 6497 Steinau an der Straße

Der Malegus bei Steinau

Im Frühjahr 1861 ging in einer mondhellen Nacht der Wagner Pfeiffer, der Sohn eines Försters in Ahl, von Steinau nach Hause. Als er in den »doppelten Wald« kam, sah er auf einmal eine große hagere Gestalt in einer Mönchskutte auf der anderen Seite des Weges. Sie hielt eine ganze Zeit gleichen Schritt mit ihm. Auf die Dauer wurde ihm das unheimlich, er rief sie an: »Wer bist du, und was hast du hier zu tun?« Da antwortete die Gestalt, sie sei der Malegus, sei ein Mönch im Kloster Salmünster gewesen, habe ein unschuldiges Mädchen verführt und da unten am Bach umgebracht. – Andere erzählen noch weiter: Der Malegus sei ein reicher Müllerssohn gewesen, die Mühle habe am Ende von Auerdorf gestanden, das im 30jährigen Krieg zerstört worden sei. Das Mädchen sei Magd in der Mühle gewesen und dann von dem Alten fortgejagt worden. Der Sohn habe nach Geld gefreit. Wie er nun eines Abend von seiner schönen und reichen Braut zurückgekehrt, sei das arme Mädchending mit seinem Kind ihm in den Weg getreten, habe ihn angefleht, sie nicht zu verlassen. Er aber habe das Kind in den Auerbach geworfen, dann auch das Mädchen darin ertränkt. Dann sei er in die Welt hinaus geflohen, nirgends zur Ruhe gekommen, nach Jahren wiedergekehrt und in das Kloster Salmünster getreten, habe all die Zeit harte Buße getan, sei sogar Abt geworden. Habe aber keine Gnade gefunden und müsse noch jede Nacht aus seinem Grabe nach der Mordstätte wandern, an der Kinzig entlang bis zum »doppelten Wald«.

DER »DOPPELTE WALD«: Wald bei Steinau auf der Strecke nach Bad Soden-Salmünster, Stadtteil Ahl (1,5 km von Steinau).

SCHLÜCHTERN

Auf dem rechten Ufer der Kinzig liegt im Bergwinkel zwischen Vogelsberg, Spessart und Rhön die Stadt Schlüchtern. Sie ist als Luftkurort staatlich anerkannt und hat 14500 Einwohner.
Schlüchtern verdankt seine Entstehung einem Benediktinerkloster, das wohl in seinen Anfängen bis in die Mitte des 8. Jh.s zurückreicht. Im Jahre 993 wurde der Ort als »Sluohderin« erstmalig urkundlich erwähnt. 1316 nahmen die Hanauer Grafen zunächst den halben und ab 1377 den ganzen Ort in Besitz. Sie waren es auch, die Schlüchtern zwischen 1550 und 1556 Stadtrechte verliehen. Nach dem Aussterben der Grafen von Hanau im Jahre 1736 fiel die Stadt Schlüchtern an Hessen-Kassel.
Von dem ehemaligen Benediktinerkloster erhalten sind der karolingische Westteil der Krypta (um 800); die romanische Katharinenkapelle (um 1100) mit dem Grabmal des Abtes Petrus Lotichius (führte 1543 in Schlüchtern die Reformation ein); die spätromanische Andreaskapelle (um 1200); die Huttenkapelle (Mitte des 14. Jh.s) sowie der Westturm (11. Jh.) und Ostturm (15. Jh.) der ehemaligen Klosterkirche. Die Klostergebäude wurden größtenteils unter Abt Christian II. in den Jahren 1508–1519 neu errichtet.
Das Bergwinkel-Heimatmuseum mit Andenken an die Brüder Grimm, mit der Stadt- und Klosterstube, den Hutten- und heimatkundlichen Stuben, ist in dem im Jahre 1440 erbauten und im 16. Jh. erneuerten Lauterschen Schlößchen untergebracht. Auf der von Gräfin von Brandenstein-Zeppelin bewohnten Burg Brandenstein im Stadtteil Elm befindet sich ein von ihr eingerichtetes Holzgerätemuseum. Zum Schlüchterner Stadtteil Vollmerz gehören die Burg(-ruine) Steckelberg, auf der der große deutsche Humanist Ulrich von Hutten (1488–1523) geboren wurde, sowie das im 16. Jh. als Wohnsitz der Familie von Hutten angelegte Schloß Ramholz (Privatbesitz; Schloßanlage durch großen Neubau im 19. Jh. erweitert).

Sehenswert: Ehemaliges Benediktinerkloster, Bergwinkelmuseum (im Lauterschen Schlößchen), Holzgerätemuseum (Burg Brandenstein), Burgruine Steckelberg.
Freizeitmöglichkeiten: Angeln, Camping, Kutschfahrten, Reiten, Schießsport, Tennis, Wandern; Freibad, Hallenbad, Freizeitgelände Neidhof und Berghecke, Kneippanlage, Waldlehrpfad, Wildgehege.
Auskunft: Städtisches Verkehrsbüro – 6490 SCHLÜCHTERN

Die Kobolde im Steckelberg

Auf dem Steckelberge unweit Schlüchtern, auf welchem im Jahr 1488 Ulrich von Hutten geboren wurde, lebte einst ein tapferer junger Ritter, der gern den Unglücklichen beistand und die Wahrheit überall in Schutz nahm. Ihm waren zahllose Weinfässer als Erbe zugefallen, und der Wein darin hatte die Kraft, den zu verjüngen, welcher ihn trank. Doch der Jüngling sprach: »Was nützt mir jetzt der Wein? Wenn ich dereinst alt bin, soll er mir munden und mir die Jugend wiederbringen.« Auch hatte er viel Geld, aber er sprach zu sich selbst: »Das Geld brauche ich jetzt nicht, es mag da liegen, bis ich ein Weib habe.« So wohnten damals auch drei schöne Mädchen auf der Steckelburg, die liebten alle drei den Jüngling und sprachen: »Wenn der Jüngling eine von uns erwählt, sollen auch die andern beiden bei ihm bleiben als Dienerinnen seines Hauses.« Doch der junge Ritter dachte: »Zum Heiraten habe ich noch lange Zeit.«

Und er reiste tatenkühn durch allerlei Länder, aber Bösewichter verfolgten ihn und lauerten ihm auf, und er kam um's Leben, ehe er seine Heimat wiedersah. Da traten die Kobolde zusammen und sagten: »Den Wein und das Geld des Steckelbergs nehmen wir zu uns; niemand kann mehr das Geld recht anwenden.« Und die Kisten und Kasten voll Gold und Silber rollten hinab in die Tiefe des Steckelbergs, wo auch der Wein »in seiner eignen Haut« liegt, von einem schwarzen Hunde mit glühenden Augen bewacht. – Oft kamen geldgierige Leute an den Berg und gruben heimlich nach; aber sie fanden nur Katzengold und Katzensilber.

Die drei Mädchen starben in der Blüte ihrer Jahre vor Liebeskummer. Treu Liebende können sie in hellen Mondnächten sehen, wie sie am Ufer einer Kinzigquelle, unten am Fuße des Steckelberges, auf und nieder wandeln und unter leisem Gesange ihr Brautgewand weben.

FREIENSTEINAU

Die Gemeinde Freiensteinau im Naturpark Hoher Vogelsberg hat 3400 Einwohner. Zentraler Punkt für den Fremdenverkehr in Freiensteinau ist der Ortsteil Nieder-Moos.
In einer Urkunde aus dem Jahre 930 wurde der Ort »Mosah« erwähnt, mit dem aller Wahrscheinlichkeit nach Moos gemeint ist. Um 1400 erwarben die Herren von Eisenbach, die 1428 ausstarben und an deren Stelle die Riedesel aus Melsungen traten, die Gerichte Freiensteinau und Moos. Im 15.–17. Jh. kam es um die Vorherrschaft des Vogelsberggebietes zu erbitterten Kämpfen zwischen den Fürstäbten von Fulda, den hessischen Landgrafen und den Riedesel Freiherren zu Eisenbach. In den Verträgen von 1684 mit Fulda sowie 1713 mit Hessen-Darmstadt konnten die Riedesel ihren Besitzstand weitgehend wahren. 1806 kam Freiensteinau an Hessen, als Napoleon den gesamten Vogelsbergraum in das Großherzogtum Hessen einverleibte.
Weithin gut sichtbar auf einer Anhöhe liegen die 1721–1724 neu errichtete Pfarrkirche von Freiensteinau (sehenswert die barocken Grabsteine auf dem Friedhof) und der Riedeselsche Amtshof aus dem Jahre 1689. Gut erhalten sind mehrere stattliche Fachwerkhäuser hessisch-thüringischer Art sowie vor dem Pfarrhof ein steinerner Ziehbrunnen von 1688.
Die Kirche von Nieder-Moos wurde in den Jahren 1784–1790 von J.G. Link aus Brückenau erbaut. Als ein besonders wertvolles Stück birgt sie die reich ornamentierte Rokoko-Orgel von J.M. Östreich, die wegen ihrer Klangreinheit (Lurenregister) weit bekannt ist.
Anziehungspunkte für Erholungssuchende sind das Urlaubszentrum am Nieder-Mooser See sowie der nicht weit von hier gelegene und von Naturfreunden gern besuchte Ober-Mooser See, der Rodebachteich und der Reichloser Teich.

Sehenswert: Kirchen in Freiensteinau und Nieder-Moos, Riedeselscher Amtshof, Ziehbrunnen, Urlaubszentrum Mooser Seen, Naturpark Hoher Vogelsberg.
Freizeitmöglichkeiten: Angeln, Eislaufen, Eissegeln, Pferdeschlittenfahrten, Reiten, Segeln, Skilaufen, Sommer- und Wintercamping, Wandern, Windsurfen.
Auskunft: Gemeindeverwaltung Freiensteinau – 6494 FREIENSTEINAU

Der Schneider von Freiensteinau

Einst lebte in Freiensteinau ein Schneider, der täglich nach Radmühl zur Arbeit ging. In der Schneiderei des Meisters gab es viel zu tun, und gar oft kam es vor, daß er sich erst nach Einbruch der Dunkelheit auf den Heimweg machen konnte. Als es wieder einmal sehr spät geworden war, begegnete ihm auf dem Rückweg eine weiße Frau, die ihn mit den Worten ansprach: »Reich mir deine Hand, dann bin ich erlöst!« Der Schneider erschrak sehr und beeilte sich, so schnell wie möglich nach Freiensteinau zu gelangen. Den Leuten im Dorf erzählte er von seinem Erlebnis, und die Freiensteinauer rieten ihm, er solle der Frau statt der Hand seine Elle entgegenstrecken. Am anderen Tag

erschien dem Schneider die weiße Frau erneut und flehte ihn wieder an. Sogleich reichte er ihr die Elle, und im Nu verschwand die Frau mit einem Seufzer. Als sich der Schneider danach die Elle ansah, stellte er fest, daß sie an der Stelle, wo die weiße Frau sie angefaßt hatte, ganz verbrannt war.
Von dieser Zeit an ist der Schneider stets bei Tage nach Hause gegangen.

GREBENHAIN

Die Gemeinde Grebenhain im Naturpark Hoher Vogelsberg hat knapp 5000 Einwohner. Der Ortsteil Ilbeshausen-Hochwaldhausen ist als Luftkurort staatlich anerkannt; der Ortsteil Herchenhain ist ein staatlich anerkannter Erholungsort.
Das im Jahre 1067 erstmals erwähnte Grebenhain kam auf Grund der Schenkung des Reichsforstes Zunderhart durch Kaiser Heinrich II. in fuldischen Besitz. Der heutige Ortsteil Crainfeld, dessen erste Kirche um 1020 entstand, wurde im Jahre 1013 als »Creginfeld« erstmals genannt. Das Kloster Fulda gab das Gebiet des Reichsforstes den Grafen von Ziegenhain als Lehen, und nach dem Erlöschen des Ziegenhainschen Lehens fiel Grebenhain mit der Vogtei Crainfeld 1434 an den Landgrafen Ludwig II. von Hessen.
Die Kirche von Grebenhain, vor der sich ein alter Gerichtsplatz mit Linden, der sogenannte Tanzplatz befindet, stammt aus dem 17. und 18. Jh. Sehenswert in Crainfeld sind die im 30jährigen Krieg erbaute Pfarrkirche (der frühgotische Rechteckchor um 1300) mit reicher Kanzel und Kreuzigungsgruppe sowie einige Fachwerkhäuser hessisch-thüringischer Prägung. Hervorzuheben ist das »Edelhaus« (Haus Schwalbach) aus dem Jahre 1683. Es wurde wie die »Teufelsmühle« in Ilbeshausen von dem Lauterbacher Baumeister H. Muth errichtet. Die 1691 erbaute »Teufelsmühle« mit den Variationen der Rauten, Kreuze und Kreise und der geschnitzten Renaissancetür gilt als der schönste Fachwerkbau des gesamten Vogelsberggebietes. Lohnende Wanderziele im Naturpark Hoher Vogelsberg sind die Uhu-Klippen, Felsgebilde vulkanischen Ursprungs, der Hoherodskopf (670 m) und die Herchenhainer Höhe (733 m).

Sehenswert: Teufelsmühle, Edelhaus, Kirche, Naturpark Hoher Vogelsberg.
Freizeitmöglichkeiten: Angeln, Minigolf, Reiten, Wandern, Wintersport; Freibad, Hallenbad, Kneippbecken.
Auskunft: Verkehrsbüro der Gemeinde Grebenhain – 6424 GREBENHAIN

Geprellter Teufel zu Herchenhain

Ein armer Schmied im Vogelsberge hatte seine Seele dem Teufel verschrieben. Dafür sollte der ihm drei Jahre lang als Schmiedegeselle umsonst dienen und seinen Meister reich machen. Ausbedungen war auch noch, daß zu Ende der Gesellenzeit der Teufel ein Meisterstück liefern oder drei Fragen beantworten müßte. Nun, die drei Jahre gingen allmählich herum; und dem Schmiede sank mehr und mehr das Herze in die Kniekehlen.
Da er eines Tages kleinmütig und trübetrostig durch die Felder schlenderte, begegnete ihm ein altes Weib, dem klagte er seine Not, da sie ihn um seine Trauer ansprach.
Wenn es weiter nichts wäre, sagte die Alte, so dürfte er sich noch lange nicht fürchten; er sollte beim Probestücke nur tun, wie sie ihn anhieße.
Zuerst, sagte sie, gibst Du dem Teufel eine Hand voll von Deinen krausen Haaren; die solle er geradeschmieden.

Zweitens mußt Du ihm ein Ding vorschmieden, das sich zu zweierlei gebrauchen läßt, z. B. eine Feuerschippe oder eine Krauthacke. Hierauf fragst Du den Teufel, was das geben solle; was er auch antwortet, Du läßt ihn dann falsch raten.
Drittens läßt Du Deine Ehefrau sich nackend erst im Backtroge, dann aber in einem Federbette herumwälzen. So muß sie sich auf einen Baum setzen, und der Teufel soll raten, was das für ein Vogel sei.
So geschah es dann auch. Je länger der Teufel die Haare auf dem Amboß hämmerte, desto krauser wurden sie. Und wie der Teufel bei zweiter Probe auf eine Schippe riet, schlug der Schmied das Eisen mit zwei Hieben krumm, und die Krauthacke war fertig. Den seltsamen Vogel hat der dumme Teufel aber gar nicht erraten und ist zur Hölle abgefahren.

HERBSTEIN

Mit ihren knapp 5000 Einwohnern liegt die Stadt Herbstein, die als Luftkurort staatlich anerkannt ist, in 432 m Höhe auf dem Nordostabhang des Vogelsberges im Naturpark Hoher Vogelsberg.
Herbstein wurde in der zweiten Hälfte des 10. Jh.s zuerst erwähnt, als dem Kloster Fulda Ländereien in einer Schenkungsurkunde übereignet wurden. Um 1260 legte Abt Heinrich IV. von Fulda eine, heute verschwundene Burg an, und Herbstein wurde Stützpunkt und Eckpfeiler der Westflanke der Abtei Fulda. Das im Jahre 1388 erstmalig urkundlich als Stadt bezeichnete Herbstein gehörte jahrhundertelang zur Abtei Fulda, und erst nach der Auflösung der Fürstabtei (1802/03) kam die Stadt im Jahre 1810 an Hessen-Darmstadt.
Aus dem 13. Jh. stammen die restaurierten Teile der ehemaligen Stadtbefestigung mit drei Wehrtürmen und die unterirdischen Gewölbe der ehemaligen Burg. Um 1400 wurde die Stadtpfarrkirche, eine spätgotische Hallenkirche mit überhöhtem Mittelschiff, errichtet. In ihrem Innern birgt sie wertvolle spätgotische Wandmalereien, eine gotische Pieta (um 1460), eine Reihe holzgeschnitzter Figuren, einen Taufstein aus dem 16. Jh. und eine barocke Kanzel. Die hübschen Fachwerkhäuser von Herbstein entstanden im 17.–19. Jh. Weithin bekannt sind die traditionsreiche Herbsteiner Fastnacht und die »Straße der Ehe«, eine Birkenallee, die von den Brautpaaren der Stadt gepflanzt wird.

Sehenswert: Stadtpfarrkirche, Stadtbefestigung mit Wehrtürmen, unterirdische Gewölbe der ehemaligen Burg, Fachwerkhäuser, Straße der Ehe.
Freizeitmöglichkeiten: Angeln, Boccia, Kutschfahrten, Minigolf, Reiten, Schießsport, Wandern; Freibad, Freizeitzentrum, Kneippanlage, Waldlehrpfad, Wildpark.
Auskunft: Magistrat der Stadt Herbstein – 6422 HERBSTEIN

Das Schloß in der Kirche zu Herbstein

Bis zum Jahre 1568 widerstand das Städtchen Herbstein allen Aufforderungen, den alten Glauben zu verlassen und dem Luthertum Zugang in seine Mauern zu gewähren. In diesem Jahre lebte hier ein frommer Geistlicher, Ludwig Reitz, der aber in dem Rufe stand, viel Vermögen zu besitzen. Nun hielt sich aber in der Nähe der Stadt ein gefährlicher Räuber auf, namens Johann Leiningen, der sich schon lange mit dem Plane getragen hatte, den armen Priester gefangen zu nehmen, um ein gutes Lösegeld von ihm zu erpressen. Einst begab sich derselbe hinaus auf eine ihm gehörige Wiese, um bei der Heuernte mitzuhelfen. Dies hatte der Räuber erfahren, er sprengte also dorthin, ritt den armen Mann nieder und ließ ihn durch seine Leute in den nahen Wald schleppen. Hier wurde ihm eine Kappe über den Kopf gezogen, man setzte ihn auf ein Roß und führte ihn immer in dem Walde hin und her, um ihn in bezug auf den Ort, wo er sich befand, irre zu machen und ihm den Glauben einzuflößen, als befinde er sich in großer Entfernung von Herbstein.

LICHER BIER

Hierauf machten sie in dem mitten im Walde gelegenen Raubschlosse Leiningen halt, legten ihm Fesseln an Hand und Fuß und fingen an, ihn mit Nadeln und spitzen Messern so lange in die Hände zu stechen und ihn auch sonst mit dem Tode zu bedrohen, bis er versprach, ein Lösegeld von tausend Gulden zu zahlen. Er mußte also an seine Verwandten einen Brief schreiben, worin er ihnen befahl, die Summe an einen bestimmten Ort zu bringen, und dieser ward von den Leuten des Räubers an das Stadttor geheftet. Indes lag der arme Mann weinend und jammernd auf seinem Strohlager, da sah er plötzlich neben sich einen kleinen Pflock liegen, und als er zufällig mit demselben die Eisen, in welche seine Füße geschmiedet waren, berührte, da schmolz das Eisen davon wie der Schnee an der Sonne. Dies machte ihn so beherzt, daß er ungeachtet der Ketten, welche seine Hände fesselten, aus dem Gefängnis, in welches man ihn gebracht hatte, zu entfliehen beschloß; es gelang ihm auch, aus dem Fenster zu brechen und, obgleich er beim Hinausspringen zufällig auf eine dort sitzende Gluckhenne trat und diese laut gackerte, glücklich zu entkommen. Er floh 15 Meilen weit hinein ins Isenburgische, wo ihn dann seine Verwandten, welche inzwischen mit dem Gelde gekommen waren, wiederfanden. Zum ewigen Gedächtnis seiner wunderbaren Rettung hing er dann Schloß und Kette in der Kirche zu Herbstein auf.

LAUTERBACH

Von dem Flüßchen Lauter durchflossen liegt an den nordöstlichen Ausläufern des Vogelsberges die 15000 Einwohner zählende Stadt Lauterbach, die als Luftkurort staatlich anerkannt ist.
Schon 812 urkundlich erwähnt, gehörte Lauterbach anfangs zur reichsunmittelbaren Abtei Fulda und erhielt im Jahre 1266 durch Abt Bertho II. von Fulda Stadtrechte. 1429 kam Lauterbach als Lehen an das Rittergeschlecht Riedesel zu Eisenbach, und in der Folgezeit war die Geschichte der Stadt mit den Rittern und späteren Freiherren Riedesel aufs engste verknüpft. 1806 mußten die Riedesel Lauterbach aufgeben, und die Stadt ging an das Großherzogtum Hessen-Darmstadt über.
Die in den Jahren 1763–1767 erbaute Stadtkirche von Lauterbach gehört zu den schönsten Rokoko-Kirchen in Hessen. Die Innenaufteilung der weiträumigen Saalkirche ist streng symmetrisch. Von der Ausstattung besonders hervorzuheben sind die reich mit Stuck verzierte Kanzelwand, die Orgelempore (1768) sowie zahlreiche Grabdenkmäler der Freiherren Riedesel. In der Reihe der Fachwerkhäuser neben der Kirche befinden sich die ältesten Häuser Lauterbachs, darunter die ehemalige Lateinschule aus dem Jahre 1609 mit Balkeninschrift. Nicht weit von hier steht die Burg der Freiherren Riedesel zu Eisenbach, bestehend aus einem viereckig ummauerten Hof mit dreigeschossigem Wohnbau und Amtshaus aus dem 17. Jh. Im südlichen, tiefer liegenden Teil von Lauterbach sind zahlreiche charaktervolle Fachwerkhäuser mit alten Rokokohaustüren und kunstvoll geformten Messingklinken und -griffen erwähnenswert. Am Graben, unweit der »Porte«, einem kleinen zinngekrönten Tor der alten Stadtmauer, vermitteln zwei geschlossene Reihen schmucker Fachwerkhäuser ein Bild vom unberührten, altertümlichen Lauterbach. Von der einstigen Stadtbefestigung ist der Ankerturm mit sechseckigem Fachwerkaufsatz erhalten. Der Berliner Platz mit der Hohaus-Apotheke, der Stadtmühle, dem Brauhaus (vor dem in moderner Ausführung der Strumpfbrunnen mit dem Lauterbacher Strolch steht) und dem Barockschloß Hohaus ist städtebaulich von großem Reiz. In diesem ehemals Riedeselschen Barockschloß (1769–1773), einer dreiflügeligen Gebäudegruppe mit Hauptbau und zwei niedrigeren Seitenflügeln, verdienen großartige Stukkaturen des Fuldaer Meisters A. Wiedemann besondere Beachtung. Beim Lauterbacher Stadtteil Frischborn liegt auf einem Bergrücken über der Lauter das Schloß Eisenbach, Stammsitz der Herren von Eisenbach, eine eindrucksvolle, in der Renaissancezeit ausgebaute, mittelalterliche Schloßanlage mit Kernburg, Vorburg und Zwinger.

Sehenswert: Stadtkirche, Stadtkern mit Fachwerkhäusern, Burg, Reste der alten Stadtbefestigung (Ankerturm), Barockschloß Hohaus (Heimatmuseum), Strumpf-Brunnen, Schloß Eisenbach.
Freizeitmöglichkeiten: Angeln, Boccia, Kutschfahrten, Minigolf, Reiten, Schießsport, Tennis, Wandern; Freibad, Hallenbad, Kunsteisbahn.
Auskunft: Magistrat der Stadt Lauterbach – 6420 Lauterbach

Metzgerei

In Lauterbach hab' ich mein' Strumpf verlor'n

Es war einmal ein wandernder Handwerksbursche, der zog auf Schusters Rappen durch die Welt. Seine Heimat lag im Süden unseres Vaterlandes, seines Zeichens war er Strumpfmacher. Als sich der Winter ankündigte und er sich nach einem Meister umsehen mußte, dem er die Beine unter den Tisch strecken konnte, kam er just nach Lauterbach, wo seit eh und je die Strumpfmacher ansässig sind. Durch den aufkommenden Winter war viel zu tun, und so fand er bald Arbeit.

Lange Monate lebte der Geselle in Lauterbach, und es gefiel ihm hier sehr gut. Doch als die Zeit herankam, da die Bäume an den Landstraßen grün wurden und die Vöglein vor seinem Werkstattfenster gar lieblich sangen, hielt es ihn nicht länger in grauer Städte Mauern, sintemal ihm Kraut und Speck der Meisterin nachgerade zum Halse heraushingen.

Er sagte seinem Meister Lebewohl, schnürte seinen Ranzen und begab sich auf die Fahrt. Doch die Erinnerung an Lauterbach ließ ihn nicht los, zumal er bei dem gar zu schnellen Packen seines Ranzen einen Strumpf vergessen hatte.

Seinem Wandergenossen, einem fahrenden Musikanten, erzählte er oft und viel von Lauterbach, bis daraus ein Lied wurde, das die beiden nun in allen Herbergen sangen, in denen sie übernachteten:

In Lauterbach hab' ich mein' Strumpf verlor'n,
Und ohne Strumpf geh' ich nicht heim.
So geh' ich gleich wieder nach Lauterbach hin
Und hol' mir ein' Strumpf an mein Bein.

ALSFELD

Die Stadt Alsfeld in Oberhessen, Modellfall des Europarates für das Europäische Denkmalschutzjahr 1975, wird von den Ausläufern des Vogelsberges und des Knülls umgeben und hat 18000 Einwohner.
Als karolingischer Hofsitz im 8./9. Jh. gegründet, wurde Alsfeld von den Landgrafen von Thüringen ausgebaut und erhielt 1222 Stadtrechte. 1247 ging Alsfeld in hessischen Besitz über und entwickelte sich vom 14. bis 16. Jh. dank seiner günstigen Lage an der wichtigen Verbindungsstraße »durch die kurzen Hessen« (Frankfurt–Thüringen) zu einer wohlhabenden Stadt. Im 14. Jh. war Alsfeld zeitweise Residenz des Landgrafen Hermann des Gelehrten von Hessen, doch verlor es seit dem 30jährigen Krieg im hessischen Bruderkrieg zwischen Oberhessen und Niederhessen seine Bedeutung. Bei der Erbteilung von 1567 fiel Alsfeld an Hessen-Marburg; 1604 kam die Stadt an Hessen-Darmstadt.
In der Blütezeit Alsfelds entstanden die Bauwerke, die das Bild der mittelalterlichen Stadt entscheidend prägen: Das in den Jahren 1512–1516 erbaute Alsfelder Rathaus, eines der schönsten Fachwerkbauten Deutschlands (malerischer Fachwerkaufbau von 1514 durch Baumeister Johann); das im Renaissancestil von Baumeister H. Meurer errichtete Hochzeitshaus (1564–1571); das mit einem gotischen Treppengiebel versehene Weinhaus aus dem Jahre 1538; die Walpurgiskirche (13.–15. Jh.), eine geräumige Hallenkirche mit alten Wandgemälden und spätgotischem Schnitzaltar, sowie die Dreifaltigkeitskirche, eine ehemalige Klosterkirche des Augustinerordens aus dem 14. Jh. Alsfeld verfügt über prächtige Fachwerkhäuser: Wie in keiner anderen deutschen Stadt kann man die Entwicklung des Fachwerkbaus vom 14. Jh. bis zum 19. Jh. verfolgen. Verschindelt und verputzt haben sich die Gebäude bis zum heutigen Tag erhalten und werden seit Jahrzehnten mit großer Sorgfalt mehr und mehr freigelegt, erneuert und zu neuem Leben erweckt. Das bedeutendste Fachwerkhaus ist das Neurathhaus aus dem Jahre 1688 in der Rittergasse mit reicher Renaissancehaustür. In unmittelbarer Nähe befindet sich das Minnigerodehaus, ein barockes Steinhaus aus dem Jahre 1687, heute Regionalmuseum mit umfangreichen Sammlungen.

Sehenswert: Rathaus, Weinhaus, Hochzeitshaus, Walpurgiskirche, Dreifaltigkeitskirche, als Ensemble (Fachwerkhäuser): Mainzer Gasse, Roßmarkt, Untere Fulder Gasse, Grabbrunnen, Untergasse, Hersfelder Straße, Kirchplatz, Obergasse, Rittergasse.
Freizeitmöglichkeiten: Boccia, Kutschfahrten, Minigolf, Reiten, Segelfliegen, Tennis, Wandern; Freibad, Hallenbad, Rollschuhbahn.
Auskunft: Verkehrsbüro der Stadt Alsfeld – 6320 Alsfeld

HOTEL

Der Hochzeiter aus Berfa

Ein Bursche aus Berfa war am Heiraten und hatte eine Braut, die er oft besuchte. Das geschah einst auch auf Walpurgisabend, als sich seine Zukünftige gerade zurecht machte, den Hexentanzplatz auf dem Bechtelsberg (bei Alsfeld-Berfa) zu besuchen. Sie bestrich sich mit einer Salbe und sagte das Sprüchlein dazu: »Ich schmiere mich mit Hexenfieder und stoß' an keiner Ecke wider.« Sofort ging's zum Schornstein hinauf und dann zum Bechtelsberg. Das Hexlein hatte aber in der großen Eile das Glas mit der Hexensalbe stehen gelassen. Der erstaunte Bräutigam bestrich sich nun ebenfalls mit der Zaubersalbe, sagte aber, weil er's im Schreck nicht genau gehört hatte: »Ich schmiere mich mit Hexenfieder und stoß' an alle Ecken wider.« Nun fuhr auch er zum Schornstein hinauf, aber er rumpelte sich an alle Ecken und Enden und kam nur mit vieler Mühe endlich auf dem Bechtelsberg bei den Hexen an. Hier wurde er sogleich zum Musikanten angenommen und sollte zum Hexentanze aufspielen. Sein Instrument war eine schöne neue Trompete, auf der er blasen mußte: »Ich blase, ich blase die Haare weg, die Haare der Katz' von hinten hinweg!« Als endlich der Tanz zu Ende ging, erhielt er die Trompete als Geschenk und noch einen Ranzen voll Kreppeln (= Berliner Pfannkuchen) dazu. Sein Reitpferd aber war ein dreibeiniger Ziegenbock. Beim Reiten auf dem Bocke durfte er nichts denken und nichts sprechen. So kam er vor ein großes Wasser. »Ach, wenn ich erst über das Wasser wäre«, dachte er da. In demselben Augenblicke tat der Ziegenbock einen kirchturmhohen Sprung, und unser Reiter lag, unsanft abgesetzt, am andern Ufer. Sein Reitpferd aber war auf und davon. Unterdessen hatte er Hunger bekommen. Er öffnete seinen Ranzen, um sich an den geschenkten Kreppeln zu laben, aber, prositmahlzeit! im Ranzen lag Pferdemist anstatt der Kreppeln, und statt der Trompete steckte eine verendete Katze darin, welcher er die Haare fortgeblasen hatte. Nun trat er erschrocken und traurig zu Fuß den Weg nach Hause an. Kaum lag er jedoch im Bette, fingen die Möbel an, in der Kammer herumzufahren, wobei er sich heftig den Kopf an den Wänden stieß. Unwillig rief er aus: »Fahre, wer da fahren mag, ich fahre nicht mehr mit!« Da stand das seltsame Fuhrwerk still, und der Hexenzauber hatte ein Ende.

KIRTORF

Im Tal der Gleen, an der Mündung des Bächleins Omena, liegt zwischen Hügel und Wälder eingebettet das 3300 Einwohner zählende oberhessische Städtchen Kirtorf. Das Gleenbachtal wurde schon in vorchristlicher Zeit besiedelt, wovon Funde aus der Steinzeit und alte Hügelgräber zeugen. 722 gründete Bonifatius im nahen Amöneburg ein Benediktinerkloster, um von hier aus die Christianisierung voranzutreiben. Kirtorf wurde Sitz eines geistlichen Sendgerichts, das vierzig Ortschaften umfaßte. Erstmalig namentlich als »Kirchdorff« in einer Urkunde aus dem Jahre 1222 erwähnt, erhielt Kirtorf wahrscheinlich im Jahre 1489 Namen und Rechte einer Stadt. 1725 fiel ganz Kirtorf einer schweren Feuersbrunst zum Opfer.
Nach dem großen Brand entstanden zahlreiche stattliche Fachwerkhäuser. 1781 wurde das Rathaus von Kirtorf, ein Fachwerkbau mit Freitreppe, von J.C. Koehler aus Wallenrod erbaut. Die Kirche, ein Saalbau mit dreiseitigem Schluß, wurde in den Jahren 1725–1731 errichtet. Lohnendes Ziel für den Besucher im »Spitzengrund« ist der Schmerofen.
Der Stadtteil Lehrbach war Stammsitz der Freiherren und Reichsgrafen von Lehrbach, deren Geschlecht im 19. Jh. ausstarb. In einem Privatpark befinden sich, als Rest der um 1500 erbauten spätgotischen Kirche, die sogenannte von Lehrbachsche Kapelle sowie Reste der ehemaligen Wasserburg der Herren von Lehrbach.

Sehenswert: Fachwerkrathaus, Fachwerkhäuser, Pfarrkirche, Schmerofen, Burgruine.
Freizeitmöglichkeiten: Camping, Reiten, Wandern; Freibad, Freizeitzentrum, Waldlehrpfad, Waldsportpfad.
Auskunft: Magistrat der Stadt Kirtorf – 6322 Kirtorf

Der Bauer und der Wassermann

Eines Abends ist ein graues schmales Männchen zu einem Bauer in Lehrbach auf den Hof gekommen und hat mit demütigen Worten um Herberge für die Nacht gebeten. Der Bauer wollte ihm zu essen geben, das Männchen nahm jedoch nichts an; verschmähte auch den Platz auf der Ofenbank und legte sich draußen beim Hofe dicht an eine Pferdeschwemme ins Feuchte hinein.
Am Morgen in aller Frühe war der kleine Gast wieder bei der Hand, ohne daß man an seinen Kleidern etwas gemerkt hätte. Er bat den Bauern, ihm den Weg zum Nixenborne zu weisen; es solle vielleicht sein Glück sein. Der gutmütige Bauer ist auch mitgegangen, und der Kleine hat ihm erzählt, er sei ein Nöcke oder Wassermann: sein Weibchen sei ihm geraubt, und die suche er nun überall. Wenn er sie jetzt finde, wolle er es dem Bauern vergelten; auf alle Fälle wolle er ihm ein Zeichen geben.
Wo sie am Wasser waren, hat dann der Nöcke einen Ring am Finger gedreht, und ist vor des Bauern leiblichen Augen versunken. Nach guter Weile ist jedoch des Nöcken Stab aus dem See in die Höhe geschleudert und das Wasser an der Stelle rot geworden. Vom Nöcken aber hat man nie wieder etwas gehört noch gesehen.

MARBURG

Eindrucksvoll erhebt sich auf einem Buntsandsteinfelsen über der Lahn die alte Universitätsstadt Marburg, die mit ihren Stadtteilen heute 70000 Einwohner zählt. Eine wichtige Station auf dem Lebensweg von Jacob und Wilhelm Grimm war die Marburger Universität, an der die Brüder bei Savigny, dem Begründer der historischen Rechtsschule, Rechtswissenschaft studierten.
Das hessische Grafengeschlecht der Gisonen (Sitz in Gudensberg) errichtete zur Sicherung der Lahnfurt in der Nähe der »Weinstraße«, einer wichtigen Handels- und Verkehrsstraße von Frankfurt nach Norddeutschland, die erste Burg Marburgs auf der Augustenruhe. 1122 gelangte der gisonische Besitz durch Erbschaft an die Landgrafen von Thüringen, die die heutige, um 1138/39 erstmalig urkundlich erwähnte »Marcburg« erbauten. Um 1140 entstand eine Marktsiedlung unterhalb der Burg und Anfang des 13. Jh.s bekam Marburg Stadtrechte. Entscheidend für den Aufschwung der Stadt war der Umstand, daß Elisabeth (1207–1231), die verwitwete Landgräfin von Thüringen, nach dem frühen Ableben ihres Gatten Ludwig von der Wartburg nach Marburg übersiedelte. Nach ihrem Tod wurde Elisabeth schon vier Jahre später heilig gesprochen und ihr vom Deutschen Orden gepflegtes Grab zu einem Wallfahrtsmittelpunkt. Elisabeths Tochter, Sophie von Brabant, wählte bei der Trennung Hessens von Thüringen nach dem thüringisch-hessischen Erbfolgekrieg (1247–1264) Marburg zu ihrem Sitz, und die Stadt wurde Residenz der hessischen Landgrafen. Im Jahre 1526 führte Philipp der Großmütige von Hessen (1509–1567) die Reformation ein und gründete in Marburg 1527 die erste protestantische Universität. 1529 fand auf dem landgräflichen Schloß das in der Kirchengeschichte so bedeutsame »Marburger Religionsgespräch« zwischen Luther und Zwingli statt. Mit Ludwig IV. starb 1604 der letzte in Marburg residierende Landgraf. Nach dem Marburger Erbschaftsstreit kam die Stadt 1648 an Hessen-Kassel.
Über dem Grab der heiligen Elisabeth wurde ab 1235 mit dem Bau der Elisabethkirche, dem ersten rein gotischen Sakralbauwerk in Deutschland (neben der Liebfrauenkirche in Trier) begonnen. Die Gesamtweihe des Baues erfolgte 1283, doch wurden die Türme erst in der 1. Hälfte des 14. Jh.s fertiggestellt. Im Innern der wohl proportionierten Hallenkirche befinden sich sehr bedeutende Glasmalereien aus dem 13. und 14. Jh. Zur Ausstattung gehören der prächtige 1290 geweihte Hochaltar mit der in Stein geschlagenen Retabelwand, das Mausoleum der heiligen Elisabeth (im nördlichen Kreuzarm) mit steinernem Baldachin um 1280, die zahlreichen Grabmäler der thüringisch-hessischen Landgrafen und in der Sakristei der mit Edelsteinen besetzte Schrein der heiligen Elisabeth, ein Meisterwerk deutscher Goldschmiedekunst des 13. Jh.s. Die Elisabethkirche besaß einen von Mauern umschlossenen Ordensbereich, der durch Tore von der Stadt abgetrennt war. Von den ehemaligen Gebäuden des Deutschordens (jetzt Universitätsinstitute) sind das »Herrenhaus« (13. Jh.), das »Brüderhaus« (13. Jh. – Umbauten im 16. Jh.), das »Komturhaus« (15. Jh.) und der »Fruchtspeicher« (1515 als Backhaus errichtet) erhalten.
Am Berghang westlich der Elisabethkirche liegt die 1270 geweihte St. Michaelskapelle, genannt Michelchen. Die Marienkirche (Nähe Ritterstraße), mit deren Bau im 13. Jh. begonnen wurde, ist eine dreischiffige gewölbte Hallenkirche, in deren Innern der steinerne Altaraufsatz von 1626 und Doppelwandgräber hessischer Landgrafen besonders erwähnenswert sind. Die ehemalige Domonikanerkirche (1300–1320)

CDU

dient seit 1527 als Universitätskirche; die früheren Klostergebäude wichen im 19. Jh. dem neugotischen Bau der Alten Universität von K. Schäfer.
In der malerischen Marburger Altstadt sind zahlreiche Fachwerkhäuser aus dem 16.–19. Jh. (Reitgasse, Marktgasse, Markt, Barfüßerstraße, Steinweg) sowie einige Steinbauten (Steinernes Haus, Bückingsches Haus u. a.) erhalten. Das Rathaus von Marburg, an der Schmalseite des Marktes, wurde Anfang des 16. Jh.s erbaut; der wirkungsvolle Giebelaufsatz des Treppenturmes wurde 1581/82 errichtet.
Das ehemalige Schloß der hessischen Landgrafen, das weithin das Bild der Stadt beherrscht, liegt hoch über ihr an einem Berghang. Ab etwa 1260 von Sophie von Brabant, an der Stelle einer thüringischen Burg des 12. Jh.s begonnen, erhielt das aus drei Flügeln und von einem schmalen trapezförmigen Binnenhof umgebene Schloß im 14. und 15. Jh. seine heutige Form. Einer der größten profanen Innenräume deutscher Gotik ist der um 1300 entstandene Rittersaal. Am Ostende des Südflügels befindet sich die 1288 geweihte Schloßkapelle mit bemerkenswertem Fußbodenmosaik (um 1300), Resten alter Wandmalereien und großem Christophorus (um 1300).

Sehenswert: Landgrafenschloß, Elisabethkirche, Marienkirche, St. Michaelskapelle, Alte Universität, Rathaus, Altstadt mit Fachwerkhäusern.
Freizeitmöglichkeiten: Angeln, Bootfahren, Camping, Golf, Minigolf, Reiten, Segelfliegen, Tennis, Wandern; Freibad, Hallenbad, Eislaufbahn, Waldlehrpfad, Waldsportpfad.
Auskunft: Verkehrsamt der Universitätsstadt Marburg – 3550 MARBURG a. d. Lahn

Die heilige Elisabeth

Am Ostabhang des Lahnberges bei Marburg quillt unter einem beschatteten Gewölbe der Schröckerbrunnen, der auch St.-Elisabethen-Brunnen genannt wird. Der Sage nach besuchte die heilige Elisabeth oft den Brunnen, um in der Einsamkeit zu beten und zugleich in dem klaren Wasser der Quelle ihr Weißzeug zu waschen. Wenn es gewaschen war, warf sie es in die Luft, da blieb es sogleich auf den Sonnenstrahlen hängen. Als die Frauen und Mägde aus den umliegenden Dörfern Kunde davon erhielten, gingen auch sie an den Schröckerbrunnen; besonders gern weilten sie zur Pfingstzeit hier und wuschen ihr Weißzeug; denn ohne Seife, so sagten sie, wasche das Wasser dieses Brunnens rein.
Einmal geschah es, da begegnete der heiligen Elisabeth ein Verbrecher, der zur Richtstätte geführt werden sollte. Einige Leute, die eben gerade des Weges kamen, bedauerten den Verbrecher. Die heilige Elisabeth aber sagte: »Er wird es verdient haben.« Da fiel plötzlich ihre Wäsche aus der Luft.

Die schöne Elisabethkirche zu Marburg hat Landgraf Konrad, der Schwager der heiligen Elisabeth, zu bauen angefangen. Die Sage aber erzählt, die heilige Elisabeth selbst habe sie errichtet. Die fromme Fürstin wollte eine Kirche von unvergleichlicher Herrlichkeit bauen. Die sollte oben auf einem Berggipfel bei Marburg stehen, der seitdem die Kirchspitze (Erhebung von 323 m im Westen von Marburg) heißt. Und es sollte eine Glocke darauf

gesetzt werden, deren Klang man in Ungarn hören könnte. Gott aber strafte diesen Hochmut. Was am Tage aufgeführt war, fiel des Nachts wieder zusammen. Auch verwirrte sich der Verstand der Arbeiter, sie taten alles verkehrt, und die Stätte hatte keinen Segen. Da erkannte Elisabeth den Willen Gottes, daß die Kirche an einem andern Platze stehen sollte. An der Stelle, wo der Marbach in die Lahn mündet, wurde nunmehr das Gotteshaus aufgebaut, und Gott segnete die Arbeit. Der Bau stand nun wohl tief unten im Tal anstatt hoch oben auf dem Berge; aber er wurde dafür sehr prächtig.
Zur Bezahlung der Arbeiter hatte Elisabeth eine offene Bütte mit Geld hinstellen lassen. Jeder Arbeiter konnte daraus soviel nehmen, als er redlich verdient hatte. Doch ward die Bütte niemals leer. Und wenn einmal jemand mehr herausnahm, als er verdient hatte, so behielt er's doch nicht. Von Engeln wurde nachts in die Bütte zurückgebracht, was er unrecht daraus genommen, und anderes noch dazu.

SCHRECKSBACH

Die Gemeinde Schrecksbach an der Schwalm liegt im südlichen Teil des Schwalm-Eder-Kreises und hat 3400 Einwohner.
Als »Sreggisbaha« im Jahre 882 erstmals urkundlich erwähnt, gehörte Schrecksbach zur Grafschaft Ziegenhain und war Grenzdorf mit vier Adelshöfen. Im Jahre 1030 erhielt die Propstei Neuenburg bei Fulda Besitzungen im heutigen Schrecksbacher Ortsteil Schönberg, die im 13. Jh. dem Kloster Haina überlassen wurden. Die Kirche von Schönberg auf dem befestigten Berggipfel stammt aus dem 12. Jh., sie wurde im Jahre 1261 erstmalig genannt. Von 1580 bis 1582 erbauten die Herren von Schwertzell in Schrecksbach ein kleines Schloß mit Treppenturm; Reste davon sind erhalten. Erwähnenswert ist die Pfarrkirche von Schrecksbach aus der Mitte des 18. Jh.s, ein Saalbau mit eingestelltem Frontturm. Als Wahrzeichen des Ortsteiles Schönberg erhebt sich malerisch, hoch oben auf dem Basaltkegel des Schönbergs, die der Sage nach von Bonifatius gegründete kleine Kirche; sie diente bis zur Reformation als Wallfahrtskirche. Im Ortsteil Holzburg befindet sich in der ehemaligen Pfarrscheune das Dorfmuseum, das eine beachtliche Sammlung Schwälmer Trachten, Leinen- und Seidenstickereien enthält und die historischen Sammlungen des Schwälmer Heimatmuseums in Schwalmstadt ergänzt.

Sehenswert: Kirche von Schönberg, Pfarrkirche Schrecksbach, ehemaliges Burghaus der Herren von Schwertzell, Dorfmuseum in Holzburg (Schwälmer Trachten).
Auskunft: Gemeindeverwaltung Schrecksbach – 3579 SCHRECKSBACH

Die Kirche von Schönberg

Unter dem Altar oder unter dem ersten Treppentritt des Eingangs der Kirche von Schönberg soll ein Schatz verborgen liegen. Um Mitternacht, wenn alles schläft, läßt er sich heben. Einst haben Leute dies versucht, sind aber arg enttäuscht worden. Sie gruben unter dem Altar nach dem Schatze, und schon sahen sie den Kessel mit dem Gelde blinken, der aus der Tiefe heraufgestiegen war. Da aber schien es den Leuten, als ob der Altar in den Boden versinke. Deshalb brach einer von ihnen das Schweigen, das nötig ist, wenn man einen Schatz heben will, und sagte ängstlich: »Geht weg!« Sogleich verschwand der Kessel mit dem Gelde, und die Schatzgräberei war umsonst gewesen.
Auch Gespenster hausen in dieser Kirche. Ein Bursche hatte gewettet, er wolle um Mitternacht hineingehen, um ein liegengebliebenes Gesangbuch daraus zu holen. Mutvoll ging er in die dunkle Kirche hinein, fand bald das Buch und kehrte mit ihm zurück. Da aber blieb er mit dem Kittel an einem Nagel hängen und konnte nicht loskommen. Er glaubte, ein Gespenst halte ihn fest, und der ausgestandene Schrecken brachte ihm schnellen Tod.

Die Schönberger Kirche besitzt eine Glocke aus dem Jahre 1511, das sogenannte Silberglöckchen. Im 30jährigen Kriege wurde es von kaiserlichen Soldaten des Generals Breda aus der Kirche geraubt. Es war als gute Beute bereits auf den Wagen geladen und sollte eben fortgeführt werden. Da nahten die erzürnten Bauern mit Dreschflegeln, Mistgabeln und Knüppeln, und es entspann sich zwischen ihnen und den Soldaten ein heftiger Kampf. Die Soldaten wurden endlich zum Dorfe hinausgetrieben, und die Bauern brachten die zurückeroberte Glocke an ihren alten Platz zurück. Da hängt sie heute noch.

SCHWALMSTADT

Das Zentrum des Schwälmer Landes ist die zwischen Knüll und Kellerwald gelegene 18000 Einwohner zählende Stadt Schwalmstadt, die im Jahre 1971 durch den Zusammenschluß zweier traditionsreicher Städte mit elf Landgemeinden entstand.
Die Geschichte von Schwalmstadt ist weitgehend die der ehemaligen Städte Treysa und Ziegenhain. Nachweisbar ab 1107 regierten in der Schwalm die Grafen von Ziegenhain. Zur damaligen Zeit waren sie eines der mächtigsten Geschlechter im hessischen Raum, bis mangels männlicher Erben 1450 die Grafschaft an die Landgrafen von Hessen fiel. Im 13. Jh. erhielten Treysa und Ziegenhain Stadtrechte. Die ab 1537 unter Landgraf Philipp von Hessen ausgebaute Festung Ziegenhain mit dem von zwei Wassergräben umzogenen Wall und den schwerbestückten Eckbastionen wurde zu einem uneinnehmbaren Bollwerk und bestimmt heute noch den Grundriß von Ziegenhain. Der Baumeister und erste Festungskommandant, Heinz v. Lüder, lebt wegen seiner unverbrüchlichen Treue zum Landgrafen von Hessen in Sagen fort.
In Ziegenhain sind der Paradeplatz mit der Stadtkirche aus dem Jahre 1667, gut erhaltene Fachwerkhäuser aus dem 16.–19. Jh., das alte Landgrafenschloß (15. bis 16. Jh.) mit dem Wallgraben und das Heinz von Lüder-Tor beredte Zeugen der Vergangenheit. Im Steinernen Haus (1659/60), dem Heimatmuseum der Schwalm, werden Schwälmer Trachten, Hausrat und Handwerkskunst der Gegend gezeigt. – Auf dem Treysaer Marktplatz steht vor einer Fachwerkkulisse und dem im 16. Jh. wiederaufgebauten Rathaus der Johannisbrunnen mit Rolandfigur (1683). In unmittelbarer Nähe befindet sich die Ruine der Pfarrkirche St. Martin (Totenkirche) aus dem Jahre 1230. Im romanisch-gotischen Stil erbaut, ist sie mit der selten anzutreffenden Helmdachform des Buttermilchturmes das Wahrzeichen von Treysa. Sehenswert sind auch die alten Fachwerkhäuser in der Innenstadt, der Hexenturm und die Stadtkirche aus dem 14. Jh.
Die Schwalm war eine Fundgrube für die Märchen der Brüder Grimm. Von den 86 Märchen des ersten Bandes der »Kinder- und Hausmärchen« stammen mehr als die Hälfte aus dem Gebiet der Schwalm. In ihrer Volkstracht mit der roten Haube (Betzel) gleichen die jungen Schwälmerinnen dem »Rotkäppchen« der Grimms.

Sehenswert: Marktplatz mit Fachwerkhäusern, Rathaus und Marktbrunnen, Ruine der St. Martins-Kirche mit Buttermilchturm, Stadtkirche, Hexenturm, Paradeplatz, Landgrafenschloß, Festungsgebäude.
Freizeitmöglichkeiten: Angeln, Camping, Flugsport, Kutschfahrten, Reiten, Tennis, Wandern; Freibad, Hallenbad, Töpfereibesichtigungen.
Auskunft: Stadtverwaltung Schwalmstadt – 3578 SCHWALMSTADT

Rotkäppchen

Es war einmal eine kleine süße Dirne, die hatte jederman lieb, der sie nur ansah, am allerliebsten aber ihre Großmutter, die wußte gar nicht, was sie alles dem Kinde geben sollte. Einmal schenkte sie ihm ein Käppchen von rotem Sammet, und weil ihm das so wohl stand und es nichts anders mehr tragen wollte, hieß es nur das Rotkäppchen. Eines Tages sprach seine Mutter zu ihm: »Komm, Rotkäppchen, da hast du ein Stück Kuchen und eine Flasche Wein, bring das der Großmutter hinaus; sie ist krank und schwach und wird sich daran laben. Mach dich auf, bevor es heiß wird, und wenn du hinauskommst, so geh hübsch sittsam und lauf nicht vom Weg ab, sonst fällst du und zerbrichst das Glas und die Großmutter hat nichts. Und wenn du in ihre Stube kommst, so vergiß nicht guten Morgen zu sagen und guck nicht erst in alle Ecken herum.«

»Ich will schon alles gut machen«, sagte Rotkäppchen zur Mutter und gab ihr die Hand darauf. Die Großmutter aber wohnte draußen im Wald, eine halbe Stunde vom Dorf. Wie nun Rotkäppchen in den Wald kam, begegnete ihm der Wolf. Rotkäppchen aber wußte nicht, was das für ein böses Tier war und fürchtete sich nicht vor ihm. »Guten Tag, Rotkäppchen«, sprach er. »Schönen Dank, Wolf.« »Wo hinaus so früh, Rotkäppchen?« »Zur Großmutter.« »Was trägst du unter der Schürze?« »Kuchen und Wein: gestern haben wir gebacken, da soll sich die kranke und schwache Großmutter etwas zugut tun und sich damit stärken.« »Rotkäppchen, wo wohnt deine Großmutter?« »Noch eine gute Viertelstunde weiter im Wald, unter den drei großen Eichbäumen, da steht ihr Haus, unten sind die Nußhecken, das wirst du ja wissen« sagte Rotkäppchen. Der Wolf dachte bei sich: »Das junge zarte Ding, das ist ein fetter Bissen, der wird noch besser schmecken als die Alte: du mußt es listig anfangen, damit du beide erschnappst.« Da ging er ein Weilchen neben Rotkäppchen her, dann sprach er: »Rotkäppchen, sieh einmal die schönen Blumen, die ringsumher stehen, warum guckst du dich nicht um? Ich glaube, du hörst gar nicht, wie die Vöglein so lieblich singen? Du gehst ja für dich hin, als wenn du zur Schule gingst, und ist so lustig draußen in dem Wald.

Rotkäppchen schlug die Augen auf, und als es sah, wie die Sonnenstrahlen durch die Bäume hin und her tanzten und alles voll schöner Blumen stand, dachte es: »Wenn ich der Großmutter einen frischen Strauß mitbringe, der wird ihr auch Freude machen; es ist so früh am Tag, daß ich doch zu rechter Zeit ankomme«, lief vom Wege ab in den Wald hinein und suchte Blumen. Und wenn es eine gebrochen hatte, meinte es, weiter hinaus stände eine schönere und lief darnach und geriet immer tiefer in den Wald hinein. Der Wolf aber ging geradewegs nach dem Haus der Großmutter und klopfte an die Türe. »Wer ist draußen?« »Rotkäppchen, das bringt Kuchen und Wein, mach auf.« »Drück nur auf die Klinke«, rief die Großmutter, »ich bin zu schwach und kann nicht aufstehen.« Der Wolf drückte auf die Klinke, die Tür

J M

sprang auf, und er ging, ohne ein Wort zu sprechen, gerade zum Bett der Großmutter und verschluckte sie. Dann tat er ihre Kleider an, setzte ihre Haube auf, legte sich in ihr Bett und zog die Vorhänge vor.
Rotkäppchen aber war nach den Blumen herumgelaufen, und als es so viel zusammen hatte, daß es keine mehr tragen konnte, fiel ihm die Großmutter wieder ein und es machte sich auf den Weg zu ihr. Es wunderte sich, daß die Tür aufstand, und wie es in die Stube trat, so kam es ihm so seltsam darin vor, daß es dachte: »Ei, du mein Gott, wie ängstlich wird mirs heute zu Mut, und bin sonst so gerne bei der Großmutter!« Es rief: »Guten Morgen«, bekam aber keine Antwort. Darauf ging es zum Bett und zog die Vorhänge zurück: da lag die Großmutter, und hatte die Haube tief ins Gesicht gesetzt und sah so wunderlich aus. »Ei, Großmutter, was hast du für große Ohren!« »Daß ich dich besser hören kann.« »Ei, Großmutter, was hast du für große Augen!« »Daß ich dich besser sehen kann.« »Ei, Großmutter, was hast du für große Hände!« »Daß ich dich besser packen kann.» »Aber, Großmutter, was hast du für ein entsetzlich großes Maul!« »Daß ich dich besser fressen kann.« Kaum hatte der Wolf das gesagt, so tat er einen Satz aus dem Bette und verschlang das arme Rotkäppchen.
Wie der Wolf sein Gelüsten gestillt hatte, legte er sich wieder ins Bett, schlief ein und fing an, überlaut zu schnarchen. Der Jäger ging eben an dem Haus vorbei und dachte: »Wie die alte Frau schnarcht, du mußt doch sehen, ob ihr etwas fehlt.« Da trat er in die Stube, und wie er vor das Bette kam, so sah er, daß der Wolf darin lag. »Finde ich dich hier, du alter Sünder«, sagte er, »ich habe dich lange gesucht.« Nun wollte er seine Büchse anlegen, da fiel ihm ein, der Wolf könnte die Großmutter gefressen haben, und sie wäre noch zu retten: schoß nicht, sondern nahm eine Schere und fing an, dem schlafenden Wolf den Bauch aufzuschneiden. Wie er ein paar Schnitte getan hatte, da sah er das rote Käppchen leuchten, und noch ein paar Schnitte, da sprang das Mädchen heraus und rief: »Ach, wie war ich erschrocken, wie wars so dunkel in dem Wolf seinem Leib!« Und dann kam die alte Großmutter auch noch lebendig heraus und konnte kaum atmen. Rotkäppchen aber holte geschwind große Steine, damit füllten sie dem Wolf den Leib, und wie er aufwachte, wollte er fortspringen, aber die Steine waren so schwer, daß er gleich niedersank und sich totfiel.
Da waren alle drei vergnügt; der Jäger zog dem Wolf den Pelz ab und ging damit heim, die Großmutter aß den Kuchen und trank den Wein, den Rotkäppchen gebracht hatte, und erholte sich wieder, Rotkäppchen aber dachte: »Du willst dein Lebtag nicht wieder allein vom Wege ab in den Wald laufen, wenn dirs die Mutter verboten hat.«

NEUKIRCHEN

Am Südhang des waldreichen Knüllgebirges liegt das Städtchen Neukirchen an der Grenff. Es hat 6700 Einwohner und ist als Luftkurort staatlich anerkannt.
In dem zur Grafschaft Ziegenhain gehörigen Neukirchen errichteten die Grafen von Ziegenhain 1254 die erste Burg. Im Jahre 1331 wurde eine neue Burg durch Graf Johann I. von Ziegenhain und Nidda erbaut, der Neukirchen um 1351 zur Stadt erhob. Nach dem Aussterben der Ziegenhainer Grafen im Jahre 1450 kam die Stadt mit der Grafschaft Ziegenhain an die Landgrafen von Hessen.
Das Wahrzeichen von Neukirchen ist die aus dem 14. Jh. stammende St. Nikolai-Kirche, eine stattliche gotische Hallenkirche mit reichen Wandmalereien (1500), um deren Turm sich zahlreiche gepflegte Fachwerkhäuser aus dem 16.–19. Jh. scharen. Besonders zu erwähnen sind das dreigeschossige Fachwerkrathaus von 1536 und die Apotheke aus dem Jahre 1600, ein hübscher dreigeschossiger Bau mit seitlichem Erker. Die alte Stadtmauer von Neukirchen ist weitgehend erhalten und umschließt noch heute den Kern des Städtchens. Auf dem Frauenberg erhebt sich die ehemalige Marienkapelle; sie entstand um die Mitte des 15. Jh.s.

Sehenswert: St. Nikolai-Kirche, Fachwerkhäuser, Reste der alten Stadtmauer.
Freizeitmöglichkeiten: Angeln, Boccia, Kutschfahrten, Minigolf, Reiten, Tennis, Wandern; Freibad, (Hotel-)Hallenbad, Rodelbahn, Trimm-dich-Pfad, Waldlehrpfad, Wassertretstelle.
Auskunft: Kurverwaltung der Stadt Neukirchen – 3579 NEUKIRCHEN

Die weiße Frau zu Christerode

Auf dem Burgberge zwischen Asterode und Christerode bei Neukirchen wandelte früher nicht selten eine weiße Frau umher. Durch diese ist einer armen ledigen Frau zu Christerode großes Glück beschert worden. Eines Sonntags morgens war die Frau nach dem Burgberge gegangen, um daselbst Beeren zu sammeln. Plötzlich sah sie in einer Entfernung von sich die weiße Frau stehen, die winkte ihr freundlich, sie solle näherkommen. Die Frau fürchtete sich nicht und ging auf die Erscheinung zu. Da schenkte ihr die weiße Dame eine gelbe Blume – es war ein Himmelsschlüsselchen – und deutete mit der Hand nach der eisernen Tür des Kellers, der sich dort in der Erde befand. Sie wollte damit sagen, sie könne mit der Zauberblume die Türe des unterirdischen Gemachs öffnen. Das verstand die Frau wohl, und sie machte auch gleich einen Versuch mit dem sonderbaren Schlüssel. Sie hielt also die Blume an das Schlüsselloch der Kellertür, und sogleich sprang diese auf, und die Frau konnte in das Innere des Berges eintreten. Da standen drei mächtig große Fässer, die waren bis oben hin mit Geld angefüllt. In dem einen war kupfernes, in dem andern silbernes Geld, in dem dritten aber nichts wie Goldstücke. Die Frau nahm aus jedem Fasse soviel sie wollte und sie auf

dreimal raffen konnte; mehr aber durfte sie nicht nehmen. Dann ging sie zurück und nach Hause, behielt aber die Wunderblume gut in Verwahrung. So oft sie nun in Zukunft Lust hatte, ging sie mit dem Zauberschlüssel nach dem Burgberge, öffnete damit die große eiserne Kellertür und brachte aus dem Innern des Berges reiche Schätze mit zurück. Sie wurde mit der Zeit so reich, daß sie kaum wußte, wohin sie mit dem vielen Gelde sollte. Deshalb ließ sie für die Christeroder Kirche eine neue schöne Glocke gießen, an der noch heute ihr Name »Susanna« zu lesen ist.

Einmal war die Frau wieder nach dem Keller gegangen, ließ aber, als sie umkehrte, ihre Blume darin liegen. Da öffnete die weiße Frau zum erstenmal ihren Mund und sagte warnend: »Vergiß das Beste nicht!« Jene aber dachte, es sei das geraffte Geld gemeint, und ging sorglos dem Ausgange zu. Als sie nun heraustrat, schlug die Tür mit gewaltigem Krachen hinter ihr zu und riß ihr die Ferse ab. Nachher hat die Frau noch öfters versucht, mit andern Himmelsschlüsselchen die Tür aufzuschließen; aber es war alles vergeblich.

OBERAULA

Am Südhang des Knüllgebirges liegt im Tal des vom Kollenberg kommenden Aulabaches der Marktflecken Oberaula. Die Gemeinde hat 3500 Einwohner und ist als Luftkurort staatlich anerkannt.
Im Jahre 825 wurde Oberaula erstmals urkundlich erwähnt. 860 vermachte der Freie Ethil die Mark »Ouwila« (= Eulenwasser) an das Kloster Fulda, dessen Schirmvögte, die Grafen von Ziegenhain, die Gerichtsbarkeit ausübten. Seit 1400 war Oberaula Patronat der Erzbischöfe von Mainz, die 1464 den Hofmeister Hans von Dörnberg mit dem Ort belehnten. Sitz der Freiherren von Dörnberg war das Talschloß im heutigen Oberaulaer Ortsteil Hausen, das im 30jährigen Krieg durch die auf Seiten des Kaisers kämpfenden Bayern erobert und teilweise zerstört wurde. Die entstandenen Schäden ließ Johann Caspar von Dörnberg im 17. Jh. beseitigen.
In der gotischen Kirche von Hausen befinden sich zahlreiche Grabdenkmäler der Freiherren von Dörnberg aus dem 16.–18. Jh. Von hohem malerischen Reiz ist die trutzig geschlossene Form der Schloßanlage der Herren von Dörnberg. Die Pfarrkirche in Oberaula mit ihrem gotischen Helm und den vier Ecktürmchen wurde 1717 errichtet. In ihrem Innern birgt sie eine hübsche Orgel aus dem Jahre 1721. Die in Oberaula erhaltenen Fachwerkhäuser stammen aus dem 18. Jh.

Sehenswert: Schloß in Hausen, Kirchen, Fachwerkhäuser.
Freizeitmöglichkeiten: Angeln, Boccia, Bootfahren, Reiten, Wandern; Freibad, Hallenbad, Kneippanlage, Vogelschutzpfad, Waldsport-Trimmpfad.
Auskunft: Kurverwaltung der Gemeinde Oberaula – 6435 Oberaula

Die drei Jungfrauen vom Schloßrain

Auf dem Schloßrain bei Friedigerode, unfern Oberaula, stand vor langer Zeit ein Schloß, von dem jetzt keine Spur mehr zu sehen ist. Es soll in den Berg versunken sein, so tief, daß nur der Schornstein noch aus dem Boden ragte. Es leben noch Leute in Friedigerode, welche denselben in ihrer Kindheit gesehen und Steine hineingeworfen haben. Auch dieser Schornstein versank vor etwa fünfzig Jahren. Seit das Schloß versunken war, zeigten sich öfters drei schöne Jungfrauen; sie kamen nach dem Dorfe, wenn Musik dort war, und tanzten mit den Burschen. Einmal aber verspäteten sie sich bei dem Tanze und zeigten große Angst darüber. Um die Ursache ihres Schreckens befragt, antworteten sie schluchzend und klagend: sie stammten aus dem versunkenen Schlosse und hätten sich über die Zeit aufgehalten, wofür sie hart büßen müßten. Bis zum Schloßrain gaben die Burschen des Dorfes ihnen das Geleite, da sagten sie diesen, daß sie in den Brunnen steigen würden; wenn das Wasser nachher blutig sei, dann hätten sie für ihr zu langes Verweilen ihr Leben lassen müssen. Die Burschen sahen sie darauf vor ihren Augen in dem Brunnen versinken; der beherzteste unter ihnen ging hinzu, und siehe, es schwammen drei Blutstropfen auf dem Wasser. Seitdem sind die Jungfrauen nie wieder gesehen worden.

SCHWARZENBORN

Ringsum von Wäldern und Höhen umgeben liegt das 1400 Einwohner zählende Städtchen Schwarzenborn am Nordhang des Knülls zwischen Eisenberg (636 m) und Knüllköpfchen (634 m).
Um 1300 von den Grafen von Ziegenhain gegründet, fand der Ort als »Swarzenburnen« 1311 erstmalig Erwähnung und erhielt Anfang des 14. Jh.s durch die Grafen von Ziegenhain Stadtrechte. Die von Graf Johann I. von Ziegenhain und Nidda vor 1340 errichtete Burg wurde 1469 im Streit der miteinander verfeindeten Brüder Ludwig II. von Niederhessen und Heinrich III. von Oberhessen zerstört. 1517 brannte Schwarzenborn durch eine Feuersbrunst nieder.
Durch die lustigen Streiche und urwüchsigen, immer wieder zum Lachen und Schmunzeln hinreißenden Geschichten seiner Bürger ist das Knüllstädtchen als das hessische »Schilda« weitbekannt. In der »Schwarzenbörner Ahnenstube« werden die »Schwarzenbörner Streiche« in Bildern erzählt. In der Marktgasse steht das Goethe-Ahnenhaus und erinnert daran, daß die Vorfahren von Johann Wolfgang Goethe aus Schwarzenborn stammen. Die alte Wehrkirche aus dem 14. Jh. ist malerischer Mittelpunkt des Städtchens mit seinen Fachwerkhäusern aus dem 17. und 18. Jh. Zum Teil recht gut erhalten sind Reste der ehemaligen Stadtbefestigung von Schwarzenborn.

Sehenswert: Wehrkirche, Fachwerkhäuser, Reste der alten Stadtmauer, Goethe-Ahnenhaus, Schwarzenbörner Ahnenstube.
Freizeitmöglichkeiten: Reiten, Wandern; Freibad, Schwarzenbörner Teich, Wassertretstelle.
Auskunft: Magistrat der Stadt Schwarzenborn – 3579 SCHWARZENBORN

Die kleine Erfrischung

Einst unternahm der Kurfürst von Hessen eine Besichtigungsreise durch sein Land und hatte die Absicht, auch nach Schwarzenborn zu kommen. Überall war er feierlich empfangen worden, und er war dessen überdrüssig und müde. Deshalb verbat er sich jede Feierlichkeit, wenn er nach Schwarzenborn käme; nur eine kleine Erfrischung wollte er annehmen. Worin diese bestehe, das hatte der Reisemarschall nicht angegeben. Daher machte der Wunsch des geliebten Landesherrn dem ehrenwerten Oberhaupte und den biederen Bürgern der Stadt nicht geringes Kopfzerbrechen. Sitzung auf Sitzung hielt der Stadtrat ab, aber man kam nicht darauf, was mit der kleinen Erfrischung gemeint war. Endlich kam die Frau des Bürgermeisters auf einen glücklichen Einfall. »Was seid ihr doch für Männer!« sagte sie. »Dummköpfe seid ihr! Wißt ihr denn nicht, daß der Herr Kurfürst ein sehr dicker Herr ist und daß alleweil gerade die Hundstage sind? Der Kurfürst will hier in Schwarzenborn ein wenig Abkühlung finden, daß er wieder frisch werde in der argen Hitze.« »Frau, du hast recht, so ist's«, sprach hocherfreut der Hausherr, »und ich weiß nun, wie es zu machen ist: wir tun die Feuerspritze heraus.« Erleichtert

atmete alles in der Stadt auf, und mit Spannung sah man der Ankunft des Landesherrn entgegen.
Endlich war der ersehnte Tag gekommen. Jung und alt, groß und klein, Männlein und Weiblein war im besten Staat auf dem Marktplatze versammelt; das Rathaus war als Absteigeraum des Kurfürsten festlich geschmückt. Alles befand sich in frohester Stimmung. Mitten auf der Straße stand wohlgefüllt die Feuerspritze, mit den kräftigsten Männern der Stadt zum baldigen Dienst besetzt, obendrauf der Höchstbefehlshaber der Stadt. »Aber das sage ich euch«, ermahnte dieser, »daß ihr nicht eher loslaßt, bis ich befehle: Fertig! Los! Und daß ihr mir genau zielt!«
Nach langen Stunden schmerzlicher Erwartung ertönte es endlich: »Er kommt! Er kommt!« Und er kam. Behaglich in die Kissen eines bequemen Wagens gelehnt und mit dem ihm gegenübersitzenden Begleiter sich gemütlich unterhaltend, langte der Kurfürst auf dem Marktplatze an, etwa vierzig Schritt von der Spritze entfernt. Die Glocken läuteten, die Menge entblößte ihre Häupter, und die Luft erdröhnte von dem Jubelrufe: »Vivat hoch, der Herr Kurfürst soll leben!« Jetzt war der Zeitpunkt der Erfrischung gekommen. »Fertig! Los!« befehligte der Bürgermeister. Eine Sintflut ergoß sich in den Wagen des Kurfürsten, Strahl auf Strahl und Woge auf Woge folgte. Alle Schwarzenbörner waren darüber entzückt. Der Kurfürst aber, vor Schrecken starr über diesen nassen Empfang, konnte nur mit Mühe stöhnen: »Herum, Kutscher, herum!« Wie ein Wirbelwind war der Wagen herum, und in sausendem Galopp ging's dem Grebenhagener Tore zu, daß die Funken stoben. Der Bürgermeister aber rief: »Brav, ihr Männer, brav! Von vorne hat er genug, jetzt von hinten drauf!« Und lange Wasserstrahlen zischten hinter dem armen Landesvater her und unbarmherzig auf ihn herab, daß er triefte wie eine Wassermaus. Laut rief die ganze Bevölkerung Hurra und jubelte über die wohlgelungene Erfrischung. Der Kurfürst aber verzichtete auf weitere Ergebenheitsbezeugungen der wohlmeinenden Bürgerschaft des Knüllstädtchens. Er hat sich nie wieder dort sehen lassen.

KNÜLLWALD

Knüllwald ist eine aus sechzehn Ortsteilen bestehende Großgemeinde mit 5300 Einwohnern im nordhessischen Knüllgebirge. Sitz der Gemeindeverwaltung ist Remsfeld. Staatlich anerkannte Luftkurorte sind die Ortsteile Wallenstein und Appenfeld; Ellingshausen ist ein staatlich anerkannter Erholungsort.
Um 1220 befand sich die Burg Wallenstein im Besitz des Grafen Albert von Schaumburg, genannt Graf Waldstein. Sein gleichnamiger Sohn Albert verkaufte 1250 die Hälfte des zur Burg Wallenstein gehörenden Besitztums an den Abt Werner von Hersfeld und baute sich die Burg Neuwallenstein, die später den Namen Neuenstein trug. Die Landgrafen von Hessen bemühten sich lange Zeit vergeblich, die Burg Wallenstein in ihren Besitz zu bringen, doch konnten sie sie erst im Jahre 1745 nach dem Aussterben der Wallensteiner erwerben.
Sehenswert in Knüllwald und seinen Ortsteilen sind zahlreiche gepflegte Fachwerkhäuser. In Rengshausen steht die sagenumwobene Pfarrkirche, deren Mauerwerk noch weitgehend aus dem 13. Jh. stammt. In Remsfeld erhebt sich auf einem Hang die einschiffige Pfarrkirche des Dorfes mit einem Taufstein aus dem frühen 16. Jh. im Innern. In den Ortsteilen Berndshausen, Oberbeisheim und Niederbeisheim verdienen die Wehrkirchhöfe Beachtung, die im Mittelalter zum Zweck der Selbstverteidigung angelegt worden sind.

Sehenswert: Burgruine Wallenstein, Wehrkirchhöfe in Berndshausen und Oberbeisheim.
Freizeitmöglichkeiten: Angeln, Boccia, Camping, Kutschfahrten, Minigolf, Reiten, Tennis, Wandern; Freibad, Trimm-dich-Pfad, Vogelschutzpark, Waldlehrpfad, Wassertretstelle, Wildpark.
Auskunft: Gemeindeverwaltung Knüllwald – Amt für Touristik – 3589 KNÜLLWALD

Das graue Männlein in der Kirche zu Rengshausen

In der Kirche zu Rengshausen soll seit langem ein altes graues Männlein hausen, das ein jeder fürchtet, so daß sich abends niemand mehr in die Kirche traut. Vor vielen Jahren, als das junge Volk noch in die Spinnstuben ging, lebte dort ein junges Mädchen, herzhaft und lustig. Eines Abends war, wie so oft, in der Spinnstube die Rede von dem grauen Männlein in der Kirche. Da ging das Mädchen leichtsinnigerweise eine Wette mit einem Burschen ein, es wollte, ohne sich zu fürchten, mitternachts in die Kirche gehen, zur Orgel hinaufsteigen und »O Gott, du frommer Gott« spielen. Dafür sollte es von dem Burschen eine Kuh bekommen. Und wirklich, nachts um 12 Uhr geht das Mädchen in die Kirche und spielt den Choral, dem es ein lustiges Liedlein folgen läßt. Da ruft eine Stimme aus der finsteren Tiefe:

»Könnt ich Knie beugen,
Könnt ich Treppen steigen,
So würd ich dir die bunte Kuh anstreichen«. (vergelten)

Das Mädchen denkt aber, einer der Burschen sei ihm nachgeschlichen und habe so gerufen, um ihm einen Schrecken einzujagen. So geht es ruhig die Treppe hinunter. Da steht auf der letzten Stufe vor der Tür das graue Männlein. Schnell nimmt das Mädchen ihm die Mütze vom Kopf und eilt in die Spinnstube zurück in der Meinung, dort nun den zu finden, der es habe anführen wollen. Aber da hatte jeder Bursche seine Mütze, und es weiß seiner Seele keinen Rat, wem nun die Mütze gehört, die es in der Hand hält. Indessen klopft es schon ans Fenster, und eine Stimme ruft: »Das Mädchen, das mir die Mütze genommen hat, soll sie sofort wieder zurückbringen, sonst wird ihm der Hals umgedreht!« Das hält das Mädchen immer noch für Scherz und geht nicht. Drei Tage klopft es abends an und jedesmal mit denselben Worten. Da endlich entschließt es sich, die Mütze zurückzubringen. Alle Spinnstubenkameraden gehen mit, um es zu schützen. In demselben Augenblick aber, da es dem grauen Männlein die Mütze aufsetzen will, wird ihm der Hals umgedreht.

HOMBERG

Die 15000 Einwohner zählende Stadt Homberg ist als Erholungsort staatlich anerkannt. Sie liegt malerisch am Südhang eines steilen Basaltkegels im unteren Tal der Efze.
Der Ort wurde erstmals 1162 erwähnt, als die Burg »Hohenberc« auf einem breiten, steilen Basaltkegel über der Straße »durch die langen Hessen« (Frankfurt–Leipzig) entstand. Im 12. Jh. war Homberg im Besitz der thüringischen und seit dem 13. Jh. in den Händen der hessischen Landgrafen. Vermutlich gegen Ende des 12. Jh.s wurde die Stadt zu Füßen der Burg gegründet. Im Jahre 1526 berief Landgraf Philipp der Großmütige eine Synode nach Homberg ein, auf der in der Homberger Stadtkirche die Einführung der Reformation beschlossen wurde.
Heute ist die Stadt Homberg als Fachwerkkleinod Kurhessens weit über die Grenzen der engeren Heimat hinaus bekannt. Von besonders malerischem Reiz ist der Marktplatz mit seinen zahlreichen historischen Bürgerhäusern. Das Gasthaus »Zur Krone« (1480), neben dem »Riesen« in Miltenberg, ältestes Gasthaus Deutschlands und zugleich auch eines der bedeutendsten Fachwerkbauten Hessens, nimmt die SO-Ecke des Marktes ein. Weithin sichtbar ragt die im 14. Jh. entstandene Marienkirche über die Dächer der Stadt. Sie ist eine der größten gotischen Hallenkirchen im hessischen Raum. Zusammen mit dem Schloßberg mit Ruine und Bergfried ergibt sich eines der markantesten Stadtbilder Nordhessens. Zu erwähnen ist schließlich noch das Heimatmuseum, in dem ein naturgetreues Modell der Altstadt vor dem 30jährigen Krieg aufgestellt ist. Es gibt einen Überblick über das frühgeschichtliche und mittelalterliche Leben der Stadt.
Der Stadtteil Allmutshausen, ein anerkannter Erholungsort, verfügt mit dem 40 ha großen Freigehege über eine besondere Attraktion. Der Stadtteil Hülsa ist staatlich anerkannter Luftkurort und Familienferienort.

Sehenswert: Fachwerkmarktplatz, gotische Marienkirche, Wehranlagen, Schloßberg, Heimatmuseum.
Freizeitmöglichkeiten: Angeln, Boccia, Minigolf, Reiten, Schießsport, Segelfliegen, Tennis, Wandern; Freibad, Waldsportpfad, Wildpark.
Auskunft: Stadtverwaltung Homberg – Verkehrsamt – 3588 Homberg (Efze)

Der Erleborn

Zwischen Homberg und Mirzenberg liegt die alte Stadtbleiche, der Erleborn. Hier brachten die ehrsamen Bürgersfrauen schon in frühester Zeit den heimlichen Reichtum der Haushaltungen, das Leinen, wieder zu Glanz und Frische, und dieses Geschäft überließen damals die sorglichen Mütter nicht etwa fremden Händen, sondern sie selbst zogen mit den Mägden und Waschfrauen zum Erleborn, und da wurde es denn mitunter spät, bis es wieder zur Stadt ging. So eilte auch einst an einem Abend, als es schon mächtig dunkelte, eine geschäftige Hausfrau von der Bleiche ganz allein nach Hause, denn die Magd war die Wäsche zu bewachen draußen geblieben. Als sie zu der Stelle kommt, wo der Weg nach dem Schloßberge abbiegt, tritt ihr ein wunderholdes Weib entgegen, überreicht ihr eine Blume, wie sie noch nie eine gesehen, und bittet sie, ihr zu folgen. Nach einem kurzen Gang durch die tauigen Wiesen kommen die beiden vor ein mit mächtiger eiserner Tür verschlossenes Gewölbe. Die Unbekannte bleibt stehen und erzählt, daß hier große Schätze verborgen lägen und daß, solange dieselben nicht gehoben seien, sie keine Ruhe im Grabe habe. Alle hundert Jahre sei es ihr gestattet, zu dieser Stelle zu treten, um einen Menschen zu finden, der sie endlich erlöse. Heute abend habe wieder eine solche Stunde für sie geschlagen. Sie solle ihr getrost folgen und vor nichts zurückschrecken, was sich auch begebe: es sei keine Gefahr da, solange sie die Blume, welche sie ihr gegeben, nicht aus der Hand lasse. Mit diesem Talisman dürfe sie zu jeder Zeit kommen, die Tür würde sie finden, und wenn sie dieselbe mit der Blume berühre, würde sie sich auftun. Aber niemand dürfe sie etwas davon sagen. Nach diesen Worten öffnet sich das Tor, von der Blume berührt, und sie befindet sich in einem Saal von so viel Gold und Edelsteinen angefüllt, daß der Glanz ihre Augen blendet. Allein die Schätze werden bewahrt von fürchterlichen Hunden an glühenden Ketten, die wohl auf die zitternde Frau losfahren, jedoch ihr nichts anhaben können, weil sie die Wunderblume in ihren Fingern hält. Vor einer Kiste voller neuer Goldstücke bleibt sie stehen, weil die Unbekannte sie bedeutet, daß sie soviel als möglich davon nehmen und einen Teil für sich behalten, einen den Armen geben und einen Teil der Kirche überliefern solle. Zugleich erinnert sie die Fremde daran, das Beste nicht zu vergessen. Und so rafft denn die Bürgersfrau so viel von den Goldstücken zusammen, als ihre Schürze nur zu fassen vermag, und eilt damit nach dem Ausgang, weil ihr vor den Hunden bange ist. Kaum hat sie das Freie erreicht, so schließt sich mit furchtbarem Krachen die Tür und alles ist verschwunden, denn sie hat in der Angst die Blumen fallen lassen, welche allein zu jeder Zeit ihr den Eintritt zu den Schätzen gestattet hätte. Zu Hause angekommen, wird die Frau krank und stirbt bald darauf, so daß niemand wieder etwas von dem Gewölbe gesehen hat.

Die Stadtbleiche »ERLEBORN« ist inzwischen städtisches Schwimmbad geworden.

FRITZLAR

Die an einem Steilhang über der Eder gelegene alte Dom- und Kaiserstadt hat 15000 Einwohner.
723 fällte Bonifatius in Geismar bei Fritzlar die den Germanen heilige Donareiche, aus deren Holz er eine kleine, dem hl. Petrus geweihte Kapelle erbauen ließ, und gründete 724 ein Benediktinerkloster. Im Jahre 774 verwüsteten heidnische Sachsen Fritzlar, dessen Bewohner sich in die Festung auf dem Büraberg zurückgezogen hatten. Wie alle von Bonifatius in Hessen gegründeten Klöster nahm Karl der Große auch Fritzlar in königlichen Besitz und ließ hier eine Pfalz anlegen. Unter Heinrich I., der in Fritzlar 919 zum König gewählt wurde, und seinen sächsischen Nachfolgern wurde die Stadt eine bedeutende Stätte des deutschen Reiches, wovon zahlreiche Besuche deutscher Könige (9.–12. Jh.) und große Kirchenversammlungen zeugen. Der Glanz erlosch, als sich nach dem Aussterben des salischen Königshauses die Schwerpunkte der Macht auf andere Geschlechter und andere Gegenden des Reiches verlagerten. Noch unter Kaiser Heinrich IV. (1056–1106) ging Fritzlar aus königlichem Besitz in den Besitz der Mainzer Erzbischöfe über. Die Stadt war jahrhundertelang Zankapfel zwischen dem Erzbistum Mainz und den Landgrafen von Hessen, die Fritzlar erst im Jahre 1803 in ihren Besitz bringen konnten.
Dem Besucher offenbart sich Fritzlar als eine Stadt, die das Mittelalter geprägt hat. Der Kranz der Mauern, die mit Türmen bewehrt und zum größten Teil noch erhalten sind, umschließt ein Stadtbild von einzigartiger Geschlossenheit. Die große Vergangenheit spiegelt sich noch heute in den erhaltenen historischen Bauten und den reichen Schätzen des Domes wider. Der Fritzlarer Dom (11.–14. Jh.), eine dreischiffige kreuzförmige romanische Basilika mit wertvollen Wandmalereien und schönen Krypten, birgt den kostbaren Domschatz: Scheibenreliquiar des Roger von Helmarshausen (12. Jh.), Kaiser-Heinrich-Kreuz, Tragaltärchen (12. Jh.), Pontifikalkelch, Leuchter und Monstranzen.
Das Rathaus von Fritzlar, ab 1274 von Vogt und Rat der Stadt als Rathaus benutzt, gilt als eines der ältesten Amtshäuser Deutschlands. Dem Rathaus gegenüber steht Fritzlars ältestes Fachwerkhaus aus der Zeit um 1470. Der Marktplatz mit seinen bedeutenden Fachwerkbauten und dem Renaissancebrunnen mit Ritterfigur (1504), im Volksmund »Roland« genannt, präsentiert sich in einmaliger Geschlossenheit. Nur wenige Schritte entfernt vom Markt liegt das Hochzeitshaus aus dem 16. Jh., heute Heimatmuseum. Beachtenswert sind weiterhin die Minoritenkirche, von den Franziskanern 1237 als Klosterkirche erbaut; das Ursulinenkloster, 1147 als Hospital gegründet; die von einer hohen barocken Mauer umgebene Fraumünsterkirche, am östlichen Rand der Stadt; die Heiliggeistkapelle am Mühlgraben und der Deutschordenshof.

Sehenswert: Dom mit Stiftsgebäude, Marktplatz mit Brunnen, Rathaus, Fachwerkhäuser, Hochzeitshaus (Heimatmuseum), Minoritenkirche, Deutschordenshof, Ursulinenkloster, Fraumünsterkirche, Stadtbefestigung mit Stadttürmen.
Freizeitmöglichkeiten: Angeln, Freiluftschach, Kutschfahrten, Minigolf, Reiten, Schießsport, Tennis, Wandern; Freibad, Trimm-dich-Pfad, Waldlehrpfad, Wassertretbecken.
Auskunft: Verkehrsbüro der Stadt Fritzlar – 3580 FRITZLAR

Engel beschützen den Dom zu Fritzlar

Kaiser Karl der Große mußte mit den heidnischen Sachsen einen langen Krieg führen, der über dreißig Jahre währte. Oft besiegte er sie, und solange er in ihrem Lande weilte, waren sie ruhig. Wenn er aber fortgezogen war, wurden sie wieder untreu. Im Jahre 773 fielen die Sachsen in Hessen ein und brannten und sengten weit hin. Sie kamen auch nach Fritzlar. Die Einwohner der Stadt flohen mit ihrer Habe auf den nahen Büraberg, der sehr fest war und den die Feinde nicht einnehmen konnten. Fritzlar aber wurde von ihnen genommen und in Brand gesteckt. Sie unterstanden sich auch, die St. Peters-kirche anzuzünden. Die hatte der heilige Bonifatius gegründet, und der heilige Gottesmann hatte geweissagt, sie solle niemals durch Feuer zerstört werden. Als nun die heidnischen Sachsen das Heiligtum anzünden wollten, da erschienen etlichen aus ihnen zwei Jünglinge in weißen Kleidern. Die haben die Kirche vor dem Feuer beschirmt, und durch göttliche Schickung ist ein Schrecken unter die Feinde gefahren, daß sie alle davon geflohen sind. Danach ist bei der Kirche einer der Sachsen tot gefunden worden. Der lag auf seinen Knien und hatte in den Händen Holz und Feuer, das er mit dem Munde anblies, um die Kirche zu verbrennen.

KREISSPARKASSE

GUDENSBERG

Die 7800 Einwohner zählende Stadt Gudensberg mit den Burgruinen Obernburg und Wenigenburg liegt am Nordwestabhang des zweigipfeligen Gudensberges.
Das Gebiet um Gudensberg ist prähistorisches Siedlungsland. Schon in grauer Vorzeit besaßen die Vorfahren der Hessen, der Stamm der Chatten, auf dem »Wodansberg« ihre Thingstätte. Wodan, der Sturm- und Schlachtengott und Vater aller Götter und Menschen, wurde hier verehrt. Der Wodansberg, von dem die Stadt Gudensberg ihren Namen ableitet, war religiöser und politischer Mittelpunkt des Chattenlandes. Die erste urkundliche Erwähnung von Gudensberg stammt aus dem Jahre 1121, das Sitz des hessischen Grafengeschlechtes der Gisonen war und später an die thüringischen und hessischen Landgrafen fiel. Im frühen Mittelalter war der Ort Amtssitz der Gaugrafen, die als Beamte der deutschen Könige das niederhessische Land verwalteten und Recht sprachen. 1254 wurde Gudensberg offiziell als Stadt erwähnt. Mitte des 13. Jh.s verlagerte sich das politische Zentrum von Gudensberg nach Kassel, doch behielt die Stadt Gudensberg weiterhin das oberste hessische Richteramt und wurde noch 1324 urkundlich als Hauptstadt von Niederhessen bezeichnet. 1387 erstürmte der Erzbischof Adolf von Mainz die Stadt und brannte sie völlig nieder; bei diesem Angriff sank auch die Wenigenburg in Schutt und Asche, doch hielten die Verteidiger der Obernburg allen Angriffen stand und trotzten den Belagerern. Der 30jährige Krieg brachte bittere Zeiten; im Jahre 1640 hausten die Kroaten zehn Tage in Gudensberg und verwüsteten die Stadt.
Auf dem zweigipfeligen Schloßberg sind Mauerreste der Obernburg und der Unterbau des romanischen Bergfrieds erhalten. Bei einem Gang durch die Gudensberger Altstadt fallen zahlreiche Fachwerkbauten aus dem 17. und 18. Jh. ins Auge; besonders zu erwähnen sind die Fachwerkhäuser am Altmarkt. Die Kirche von Gudensberg mit ihren mächtigen Stützmauern erhebt sich hoch über der Stadt am Fuße des Schloßberges. Der Chor des Gotteshauses stammt aus dem 13. Jh.; die recht reizvolle achteckige gewölbte Sakristeikapelle entstand im Jahre 1500. Das ehemalige Hospital am Westende der Stadt wurde gegen Ende des 13. Jh.s gegründet. Erhalten sind der zweigeschossige Hospitalbau aus Stein (um 1400) und zwei nebeneinandergereihte Fachwerkhäuschen aus dem 17. und 18. Jh.

Sehenswert: Schloßberg mit Burgruine und Bergfried, Kirche, Altmarkt, Fachwerkhäuser, sagenumwobener Odenberg mit Aussichtsturm.
Freizeitmöglichkeiten: Reiten, Schießsport, Wandern; Freibad, Hallenbad.
Auskunft: Magistrat der Stadt Gudensberg – 3505 GUDENSBERG

Kaiser Karl im Odenberg

In unserem Hessenlande haben wir einen Wunderberg, in dem ein deutscher Kaiser bis auf diesen Tag im Zauberschlaf liegt samt seinem ganzen Heer. Das ist der Odenberg bei Gudensberg, wo Kaiser Karl der Große – das Volk nennt ihn den Carles quintes – eingeschlossen ist mit Roß und Reisigen. Das ist geschehen in den Tagen, wo der große Kaiser aus dem Frankenstamme mit dem Sachsenvolk Krieg führte um des Glaubens willen. Auf dem Odenberg freilich waren die heidnischen Opfersteine schon verschwunden, und die heilige Donnereiche bei dem nahen Geismar hatte den Streichen der Christenboten unterliegen müssen. Aber nur wenige Stunden weit war es ja von hier bis zur Sachsengrenze, die über den Brand hinzog, da, wo Hohenkirchen jetzt weit in das Land leuchtet. Und in dem Sachsenlande gab es der Heiden noch viele, mit denen der alte Kaiser im Kampfe lag. Eines Tages hatte Karl in der Nähe des Odenberges eine heiße Schlacht geschlagen, wo das Blut in Strömen floß, daß es tiefe Furchen riß in den roten Erdboden. Der tapfere Kaiser mußte am Ende vor der heidnischen Übermacht weichen, und als ihm nun die Feinde auf der Ferse folgten, da rief er in seiner tiefen Not um Rettung zu dem Christengott. »Drüben der wilde Scharfenstein«, sprach er, »erbarmte sich einst über die heidnischen römischen Legionen und nahm sie auf in seinen schützenden Schoß, und du wolltest deine treuen Knechte verlassen?« Und siehe, da tat sich plötzlich der Berg auf und ließ ihn ein mit seinen Scharen. Da kann nun der wackere Kaiser ruhen vor seinen Feinden, und auf daß er keine Not leide, wächst in dem Berge Korn und Obst für seine Mannen und Futter für die Rosse in reicher Menge, und die Kammern liegen voll Hafers, den die Troßknechte sorgsam geschwenkt und gereinigt haben. Alle 7 Jahre verläßt der Kaiser in der Geisterstunde den Berg mit seinem Heere. Da hört man weit und breit das Wiehern und den Hufschlag der Pferde und das Klirren der Waffen und den Schall der Kriegshörner. Aber nur die Sonntagskinder sehen den unabsehbaren Zug der blutigen alten, mit Wunden und Narben bedeckten Recken und schauen voll Grauens, wie einem ein Arm fehlt, einem andern ein Bein, und wieder einer das Haupt in Scherben um sich herumträgt. Nun geht es nach dem Gliesborn, wo die Rosse getränkt werden, da hält der Kaiser, umgeben von seinen Paladinen, eine nächtliche Heerschau ab auf dem Blachfelde, wo zahllose Helme schimmern im Mondenlichte, und dann zieht die Schar wieder zurück nach dem Odenberge. Ehe die Mitternachtsstunde schlägt, ist das Heer zurückgekehrt, und der Berg schließt sich wieder hinter dem Kaiser und seinen Mannen. Und wenn ein Reiter, der zufällig des Morgens daher kommt, unversehens in den Zug hineingerät, dann geht es ihm wie jenem Bauersknecht aus der Mühle, der mit dem Heere sieben Jahre im Berge aushalten mußte und bei seiner Heimkehr meinte, es wäre nur eine Nacht vergangen seit seinem Verschwinden. Dann ist es wieder still auf dem Odenberge wie zuvor, und man wird nichts gewahr von dem eingeschlossenen Kaiser, nur daß wohl einmal ein Ackerpferd am Fuße des Berges plötzlich einen Haufen des schönsten Hafers vor sich sieht, der aus einem Bergesspalt herausgeworfen ist, oder daß ein kleines Mädchen von Gudensberg, das Erdbeeren sucht, auf einmal den Boden schüttern fühlt unter seinen Füßen und eilends nach der Stadt flieht unter dem Angstruf: »Der Quintes kommt, der Quintes kommt!«

ODENBERG: Erhebung von 381 m bei Gudensberg.
SCHARFENSTEIN: Erhebung von ca. 310 m bei Gudensberg.
GLIESBORN: Wasserquelle zwischen Odenberg und Scharfenstein.
HOHENKIRCHEN: Espenau-Hohenkirchen nördlich von Kassel.

NIEDENSTEIN

Das 4600 Einwohner zählende Städtchen Niedenstein ist ein staatlich anerkannter Erholungsort. Es liegt in 360 m Höhe über dem Wiehofftal auf einer Bergnase des Niedensteiner Kopfes.
»Nydensteyne« wurde in der ersten Hälfte des 13. Jh.s von den Landgrafen von Thüringen gegründet und kam 1247 an die hessischen Landgrafen. Seit dem Jahre 1259 wurde Niedenstein als Stadt bezeichnet, deren Gewohnheiten und Rechte der Landesherr bei seinem Regierungsantritt regelmäßig bestätigte. In den Jahren 1553 und 1579 besagte eine Bestimmung, daß nur der Landgraf von Hessen Statuten, Ordnungen und Satzungen in der Stadt Niedenstein zu geben habe. 1647 verwüstete eine Feuersbrunst große Teile der Stadt.
Ein besonderer Anziehungspunkt von Niedenstein ist der 475 m hohe Niedensteiner Kopf, auf dem einst die Burg Niedenstein emporragte. An gleicher Stelle steht heute der Hessenturm, von dessen Plattform sich ein herrliches Panorama auf die waldigen Höhen des weiten Chattengaues bietet, ein Märchenborn, aus dem die Brüder Grimm fleißig schöpften. Auf einer Anhöhe inmitten der Stadt liegt die 1777 als Saalbau neu errichtete Kirche von Niedenstein. Markante Wanderpunkte in der Umgebung sind die Altenburg, die größte prähistorische Ringwallanlage Nordhessens in der Art einer befestigten Bergstadt (15 n. Chr. zerstört), das Lautariusgrab, ein vorgeschichtliches Steinkammergrab, und das Naturschutzgebiet Wartberg.

Sehenswert: Hessenturm auf dem Niedensteiner Kopf, Altenburg, Lautariusgrab.
Freizeitmöglichkeiten: Camping, Freischach, Minigolf, Wandern; Fischteiche, Trimm-dich-Pfad, Waldlehrpfad, Wassertretstelle.
Auskunft: Magistrat der Stadt Niedenstein – 3501 NIEDENSTEIN

Die Hunde

In der Gegend von Niedenstein wohnte in sehr alter Zeit ein reicher Edelmann, der fleißig auf die Jagd ging und daheim ein schönes, aber stolzes Weib hatte. An einem Morgen, da die Edelfrau allein zu Hause war, klopfte eine arme Frau, welche ein Kind auf dem Arme, ein anderes an der Hand hatte und ein drittes unter ihrem Herzen trug, an die Tür und bat um ein Almosen. »Packt Euch!« rief die hartherzige Edelfrau. »Was braucht Ihr armes Volk so viele Kinder zu haben, wenn Ihr sie nicht ernähren könnt!« Die Frau wandte sich ab und sagte, indem sie ging: »Möchten Euch doch sieben auf einmal beschert werden!«
Wirklich kam die Edelfrau nicht lange hernach nieder und gebar sieben Knaben auf einmal. In der Angst ihres Herzens befahl sie ihrer Magd, sechs von den Jungen in einen Korb zu tun und ins Wasser zu tragen, ehe ihr Mann nach Hause käme; wenn unterwegs jemand frage, so möge sie nur sagen, sie habe junge Hunde in dem Korbe, welche ersäuft werden sollten, aber beileibe den Deckel nicht aufmachen.

Die Magd tat, wie ihr befohlen war; allein das Schicksal wollte, daß der erste, der ihr begegnete, der Edelmann sein mußte, der eben von der Jagd heimkehrte. »Was trägst du in dem Korbe?« fragte er, und die Magd erwiderte verlegen: »Junge Hunde, welche die Herrin mir befohlen hat, ins Wasser zu werfen.« – »Laß mich die Hunde sehen«, sagte der Edelmann. Mochte nun auch die Dirne Ausreden machen und sich sträuben, soviel sie wollte, es half ihr nichts, und sie mußte endlich den Korb öffnen. Wie erstaunte der Edelmann, als er statt der Hunde sechs gesunde Knaben erblickte, welche ihre Ärmchen nach ihm ausstreckten und ihn mit ihren großen blauen Augen bittend ansahen. Er zwang der Magd ihr Geheimnis ab und ließ sie schwören, daß sie daheim erzählen wolle, sie habe ihren Auftrag ausgerichtet; dann nahm er den Korb und ging ins nächste Dorf zum Pfarrer. »Wollt Ihr mir sechs junge Hunde taufen?« fragte er den frommen Mann. Dieser entsetzte sich ob solcher Zumutung und schickte den Edelmann wieder fort. So ging es ihm auch bei einem zweiten. Der dritte aber, zu dem er hinkam, war der Pfarrer zu Metze, und dem mochte eine Ahnung von der Sache gekommen sein, denn er erklärte sich bereit, die Hunde zu taufen. Die Knaben erhielten sämtlich den Beinamen »Hund«, und dem Prediger zu Metze schenkte der Edelmann einen Zehnten, der noch heutigen Tages bei der Pfarre ist und der »Hundezehnten« heißt.

Die sechs Knaben gab der Edelmann einzeln in Pflege, sorgte aber dafür, daß sie stets ebenso gekleidet einhergingen, als seine Frau den daheim behaltenen siebenten kleidete. Als sie nun herangewachsen waren, berief er sie eines Tages allesamt auf sein Schloß. Die stolze Frau erschrak sehr bei ihrem Anblick, noch mehr aber als der Eheherr fragte, was wohl eine Mutter verdiene, die sechs solcher prächtigen Jungen ins Wasser werfen lasse? Doch faßte sie sich schnell und erwiderte keck: »Die verdient in ein Faß mit Nägeln gesteckt und einen Berg hinabgerollt zu werden.« – »Nun wohl«, sagte der Edelmann, »du hast dein eignes Urteil gesprochen, denn das sind deine Kinder, die mir ein glücklicher Zufall von dem Tode zu retten gestattete, welchen du ihnen zugedacht hattest.« Und er ließ das Urteil an ihr vollziehen.

BAUNATAL

Die im Tal der Bauna liegende nordhessische Industriestadt Baunatal hat 21000 Einwohner. Sie entstand in den Jahren 1964–1972 durch den Zusammenschluß der sieben Gemeinden Altenbauna, Kirchbauna, Altenritte, Großenritte, Hertingshausen, Rengershausen und Guntershausen.
Vor- und frühgeschichtliche Funde um Baunatal weisen auf altes Siedlungsgebiet hin. Schon im Jahre 775 wurde »Rittahe« erwähnt, als der Gründer des Klosters Hersfeld, Erzbischof Lullus, Karl dem Großen die Besitzungen des Klosters übertrug. 1123 bestätigte Erzbischof Adalbert I. von Mainz dem Kloster Hasungen Schenkungen in »Altdenbune« und »Kilechbune« (Kirchbauna). Im Jahre 1303 belehnte Landgraf Heinrich I. von Hessen die Ritter Riedesel mit Gütern in Altenritte und Großenritte. Während des 30jährigen Krieges verheerten die Kroaten die Dörfer im Tal der Bauna.
Die Gesamtanlage der Stadt Baunatal wird durch das Volkswagenwerk beherrscht. Kulturhistorisch interessant sind die Ringwälle aus vor- und frühgeschichtlicher Zeit auf dem Baunsberg und auf dem Burgberg sowie der »Hünstein«, ein 4500 Jahre alter Menhir in der Gemarkung von Großenritte. Sehenswert sind die spätgotische Kirche mit Wehranlage in Großenritte und die aus gotischer Zeit stammende Wehrkirche in Kirchbauna. – In der Brauerei und Gaststätte »Knallhütte« (heute direkt an der B 3) bei Rengershausen wurde am 8. November 1775 Katharina Pierson als Tochter des aus einer Hofgeismarer Hugenottenfamilie stammenden Johann Friedrich Pierson geboren. In der Gaststätte des Vaters hörte Dorothea von durchreisenden Kaufleuten, Handwerksburschen und Fuhrleuten zahlreiche Märchen und Sagen, die sie fest im Gedächtnis bewahrte. Unter ihrem Ehenamen Viehmann wurde Dorothea später in nah und fern als Märchenerzählerin bekannt. Die Brüder Grimm kamen oft aus dem nahen Kassel, um den Erzählungen der »Viehmännin«, wie sie genannt wurde, zuzuhören und das Gehörte in ihren »Kinder- und Hausmärchen« festzuhalten.

Sehenswert: Spätgotische Wehrkirchen in Großenritte und Kirchbauna, der vorchristliche Hünstein, die »Knallhütte« (das Geburtshaus der Märchenerzählerin Dorothea Viehmann).
Freizeitmöglichkeiten: Angeln, Reiten, Schießsport, Tennis, Wandern; Freibad, Ozon-Hallenbad, Trimm-dich-Pfad, Waldlehrpfad, Waldsportpfad, Wassertretstelle.
Auskunft: Magistrat der Stadt Baunatal – 3507 Baunatal

Der Hünstein

Vor Großenritte, links am Weg, der nach Altenbauna führt, ragt ein hoher, schmaler Felsblock aus der Erde, der Hünstein genannt.
Im Odenberg war vor langer, langer Zeit ein Riese verzaubert, der nach vielen hundert Jahren aus seinem Zauberschlaf erwachte und vom Odenberg aus Umschau ins Land hielt. Gegenüber früher fand er vieles verändert, und das ärgerte ihn sehr. Als er am Ufer der Bauna eine Kirche wahrnahm, wurde er noch zorniger. In seiner Wut riß er vom Hirzstein bei Elgershausen ein mächtiges Felsstück los und schleuderte es nach Kirchbauna um damit das Gotteshaus zu zerschmettern. Der Stein rutschte ihm aber zu früh aus der Hand und fiel bei Großenritte in ein Kornfeld. Dort liegt der Felsblock mit den Eindrücken von den fünf Fingern des Riesen noch heute und ragt zur Sommerzeit hoch über die Getreidehalme der Kornfelder hinaus.

KASSEL

Die einstige Residenzstadt Kassel an der Fulda, in der die Brüder Grimm mehr als 30 Jahre lebten, war und ist ein Zentrum der Künste von internationalem Rang. Die Stadt mit ihren 205 000 Einwohnern liegt inmitten des weiten Kasseler Beckens zwischen den Naturparks Habichtswald und Kaufunger Wald. Der Kasseler Stadtteil Wilhelmshöhe am Osthang des Habichtswaldes ist Kneipp-Heilbad und heilklimatischer Kurort.
Ein fränkischer Königshof am Schnittpunkt der wichtigen Handelsstraßen vom Main zur Weser und vom Rhein nach Thüringen war Ausgangspunkt für die Entstehung des Ortes. Namentlich erstmals im Jahre 913 als »Chassalla« (Chassella) erwähnt, fiel der Hof 1008 durch Schenkung Kaiser Heinrich II. an seine Gemahlin Kunigunde und kam nach deren Tod wieder an das Reich. Im 12. Jh. erhielt Kassel Stadtrechte; Umfang und wirtschaftliche Bedeutung wuchsen, nachdem Landgraf Heinrich I. von Hessen die Stadt im Jahre 1277 zu seiner Residenz gewählt hatte. Im 16. Jh. wurde Kassel unter Philipp dem Großmütigen vorübergehend zu einem Zentrum der Politik im Westen Deutschlands. Er führte die Reformation in Hessen ein und war neben dem Kurfürsten von Sachsen Führer des Schmalkaldischen Bundes. Unter Landgraf Karl (1670–1730), der nach der Aufhebung des Ediktes von Nantes im Jahre 1685 durch Ludwig XIV. als einer der ersten Fürsten in Deutschland zahlreiche französische Glaubensflüchtlinge in sein Land aufnahm, erfuhr die Stadt großzügige Erweiterungen und Verschönerungen. 1803 wurde Landgraf Wilhelm IX. (1785–1821) zum Kurfürsten erhoben und Kassel Hauptstadt des neuen Kurfürstentums; 1866 stellte sich Kurhessen im Deutschen Krieg auf die Seite Österreichs und verlor nach der Niederlage Österreichs bei Königgrätz seine Selbständigkeit an Preußen.
Als um 1700 auf Initiative des Landgrafen Karl französische Glaubensflüchtlinge in großer Zahl nach Kassel kamen, wurde für sie ein neuer Stadtteil, die Oberneustadt, angelegt. Untrennbar verbunden mit dem Namen dieses Landgrafen ist die Entstehung zweier bedeutender architektonischer Anlagen, die das Bild der Stadt Kassel entscheidend mitprägen: die Orangerie in der Karlsaue, ein langgestreckter, eingeschossiger Bau mit an den Enden höheren Eckpavillons, und der großartige Bergpark am Osthang des Habichtswaldes mit seinem gewaltigen Oktogon und dem Herkules, der als weithin sichtbares Wahrzeichen der Stadt auf Kaskaden, Viadukte und den ihm zu Füßen liegenden barocken Park blickt. Einige Jahrzehnte später wurde unter Landgraf Wilhelm IX. die neugotische Burgruine Löwenburg und das klassizistische Schloß Wilhelmshöhe (1786–1803), in dem heute die berühmte Gemäldegalerie Alte Meister (15.–18. Jh.) und Antikensammlung (darunter der Kasseler Apoll) untergebracht ist, errichtet. Den Grundstock für den Ruf Kassels als Stadt der Künste legten die kunstsinnigen und gebildeten Landgrafen Moritz mit dem Bau des ältesten deutschen Theaters, dem Ottoneum (heute Naturkundemuseum); Landgraf Friedrich II. mit der Errichtung des ersten Museums auf dem europäischen Festland, dem Museum Fridericianum, heute Hauptsitz der Kasseler »documenta« (der wohl bedeutendsten Ausstellung zeitgenössischer Kunst; sie findet alle vier Jahre statt) und Landgraf Wilhelm VIII. mit dem Kauf von Meisterwerken niederländischer und flämischer Kunst (Rembrandt, Rubens, van Dyck, Frans Hals). Weitere bedeutende Museen in Kassel sind die im Stil des Historismus erbaute Neue Galerie (Malerei und Plastik von 1750 bis zur Gegenwart), das Deutsche Tapetenmuseum (das einzige seiner Art auf

der Welt) und das Hessische Landesmuseum mit seinen Sammlungen der Vor- und Frühgeschichte und dem Astronomisch-physikalischen Kabinett. Vom mittelalterlichen Kassel sind die im 14.–15. Jh. errichtete Martinskirche (im Innern: Alabastergrabmal des Landgrafen Philipp des Großmütigen und Prunksarg des Landgrafen Karl), die Brüderkirche (um 1292 von Karmelitern erbaut), das ehemalige Hospital St. Elisabeth (gegründet um 1300) und die Karlskirche (für die französischsprachige Gemeinde 1689–1706 von P. du Ry errichtet) erhalten. Bei einem Besuch im Brüder-Grimm-Museum (Palais Bellevue) werden Kindheitserinnerungen wach. Zahlreiche Dokumente gewähren Einblick in das Lebenswerk der bedeutenden deutschen Germanisten Jacob und Wilhelm Grimm, die in den Bauerndörfern um Kassel Material für ihre in fast hundert Sprachen übersetzten Kinder- und Hausmärchen sammelten.

Sehenswert: Bergpark Wilhelmshöhe: Herkules, Kaskaden (Wasserspiele), Wasserfälle, Schloß, Ballhaus, Löwenburg; Park Karlsaue: Orangerie mit Marmorbad; Museum Fridericianum, Ottoneum, Neue Galerie, Palais Bellevue (Brüder-Grimm-Museum), Hessisches Landesmuseum mit Deutschem Tapetenmuseum, Rathaus, Karlskirche, Martinskirche, Brüderkirche, ehem. Hospital St. Elisabeth.
Freizeitmöglichkeiten: Angeln, Camping, Dampferfahrten, Eislaufen, Golf, Minigolf, Reiten, Schießsport, Tennis, Wandern, Wassersport, Wintersport; Freibad, Hallenbad, Kneippeinrichtungen, Rollschuhbahn, Trimm-dich-Pfad, Waldlehrpfad, Waldsportpfad, Wassertretstelle.
Auskunft: Stadt Kassel – Verkehrs- und Wirtschaftsamt – 3500 Kassel

Landgraf Moritz von Hessen

Es war ein gemeiner Soldat, der diente beim Landgrafen Moritz und ging gar wohl gekleidet und hatte immer Geld in der Tasche, und doch war seine Löhnung nicht so groß, daß er sich, seine Frau und seine Kinder so stolz hätte davon halten können. Nun wußten die anderen Soldaten nicht, wo er den Reichtum herkriegte, und sagten es dem Landgrafen. Der Landgraf sprach: »Das will ich wohl erfahren«; und als es Abend war, zog er einen alten Linnenkittel an, hing einen rauhen Ranzen über, als wenn er ein alter Bettelmann wäre, und ging zum Soldaten. Der Soldat fragte, was sein Begehren wäre. »Ob er ihn nicht über Nacht behalten wollte?« – »Ja«, sagte der Soldat, »wenn er rein wäre und kein Ungeziefer an sich trüge.« Dann gab er ihm zu essen und zu trinken, und als er fertig war, sprach er zu ihm: »Kannst du schweigen, so sollst du in der Nacht mit mir gehen, und da will ich dir etwas geben, daß du dein Lebtag nicht mehr zu betteln brauchst.« Der Landgraf sprach: »Ja, schweigen kann ich, und durch mich soll nichts verraten werden.« Darauf wollten sie schlafen gehen; aber der Soldat gab ihm erst ein reines Hemd, das sollte er anziehen und seines aus, damit kein Ungeziefer in das Bett käme. Nun legten sie sich nieder, bis Mitternacht kam. Da weckte der Soldat den Armen und sprach: »Steh' auf, zieh' dich an und geh mit mir!« Das tat der Landgraf, und sie gingen zusammen in Kassel herum. Der Soldat aber hatte ein Stück Springwurzel, wenn er das vor die Schlösser der Kaufmannsläden

hielt, sprangen sie auf. Nun gingen sie beide hinein; aber der Soldat nahm nur vom Überschuß etwas, was einer durch die Elle oder das Maß herausgemessen hatte, vom Kapital griff er nichts an. Davon nun gab er dem Bettelmann auch etwas in seinen Ranzen. Als sie in ganz Kassel herum waren, sprach der Bettelmann: »Wenn wir doch dem Landgrafen könnten über seine Schatzkammer kommen!« Der Soldat antwortete: »Die will ich dir auch wohl weisen; da liegt ein bißchen mehr als bei den Kaufleuten.« Da gingen sie nach dem Schloß zu, und der Soldat hielt nur die Springwurzel gegen die vielen Eisentüren, so taten sie sich auf. Sie gingen hindurch, bis sie in die Schatzkammer gelangten, wo die Goldhaufen aufgeschüttet waren. Nun tat der Landgraf, als wolle er hineingreifen und eine Handvoll einstecken; der Soldat aber, als er das sah, gab ihm drei gewaltige Ohrfeigen und sprach: »Meinem gnädigen Fürsten darfst du nichts nehmen, dem muß man getreu sein.« »Nun sei nur nicht bös«, sprach der Bettelmann, »ich habe ja noch nichts genommen.« Darauf gingen sie zusammen nach Haus und schliefen wieder, bis der Tag anbrach. Da gab der Soldat dem Armen erst zu essen und zu trinken und nocht etwas Geld dabei, sprach auch: »Wenn das alle ist und du brauchst wieder, so komm nur getrost zu mir. Betteln sollst du nicht.«
Der Landgraf aber ging in sein Schloß, zog den Linnenkittel aus und seine fürstlichen Kleider an. Darauf ließ er den wachhabenden Hauptmann rufen und befahl, er solle den und den Soldaten – und nannte den, mit welchem er in der Nacht herumgegangen war – zur Wache an seiner Tür beordern. »Ei«, dachte der Soldat, »was wird da los sein, du hast noch niemals diese Wache getan; doch wenn dein gnädiger Fürst befiehlt, ist's gut.« Als er nun da stand, hieß der Landgraf ihn hereintreten und fragte ihn, warum er sich so schön trüge und wer ihm das Geld dazu gebe. »Ich und meine Frau, wir müssen's verdienen mit Arbeiten«, antwortete der Soldat und wollte weiter nichts gestehen. »Das bringt so viel nicht ein«, sprach der Landgraf, »du mußt sonst was haben.« Der Soldat gab aber nichts zu. Da sprach der Landgraf endlich: »Ich glaube gar, du gehst in meine Schatzkammer, und wenn ich dabei bin, gibst du mir eine Ohrfeige.« Wie das der Soldat hörte, erschrak er und fiel vor Schrecken zur Erde hin. Der Landgraf aber ließ ihn von seinen Bedienten aufheben, und als der Soldat wieder zu sich selber gekommen war und um eine gnädige Strafe bat, so sagte der Landgraf: »Weil du nichts angerührt hast, als es in deiner Gewalt stand, so will ich dir alles vergeben; und weil ich sehe, daß du treu gegen mich bist, so will ich für dich sorgen«, und gab ihm eine gute Stelle, die er versehen konnte.

FULDATAL

Die im Zuge der hessischen Verwaltungsreform entstandene Gemeinde Fuldatal am Südhang des Reinhardswaldes im unteren Tal der Fulda hat 12800 Einwohner. Der Sitz der Gemeindeverwaltung befindet sich im Ortsteil Ihringshausen; mit Simmershausen und Wilhelmshausen gehören zwei staatlich anerkannte Erholungsorte zur Gemeinde Fuldatal.
An der Stelle des Dorfes Wilhelmshausen lag das um 1140 gegründete ehemalige Zisterzienserinnenkloster Wahlshausen, das 1293 von Erzbischof Gerhard von Mainz dem Kloster Hardehausen übertragen wurde. 1527 wurde das Kloster aufgehoben und 1572 unter Einbeziehung des Klostergutes durch Landgraf Wilhelm IV. das nach ihm benannte Dorf Wilhelmshausen gegründet.
Die 1142–1152 erbaute Klosterkirche St. Maria (heute Pfarrkirche) von Wilhelmshausen ist eine kreuzförmige romanische Flachdeckbasilika. Die Kirche wurde im 30jährigen Krieg beschädigt und gegen Ende des 19. Jh.s historisierend restauriert. In ihrem Innern birgt sie einen wertvollen achteckigen Taufstein (um 1200) mit beachtlichen Tierreliefs sowie eine Rokoko-Orgel aus dem 18. Jh. Ein lohnendes Ziel in Rothwesten ist die Volkssternwarte auf dem Häuschensberg. Besondere Anziehungspunkte in Simmershausen sind die Kirche mit Resten der ehemaligen Wehrmauer, die historische Schmiede, das Museum für mechanische Musikinstrumente, das in seiner Originalität in unseren Landen kaum ein Gegenstück hat, das Heimatmuseum und die mit exotischen und einheimischen Tierarten besetzte Tierfarm Fuldatal.

Sehenswert: Ehemalige Klosterkirche Wilhelmshausen, mechanisches Musikmuseum, Volkssternwarte.
Freizeitmöglichkeiten: Angeln, Boccia, Camping, Dampferfahrten, Freischach, Kutschfahrten, Minigolf, Schießsport, Tennis, Wandern; Waldschwimmbad, Erholungspark Termenei (Heidegebiet), Leistungszentrum für den Reitsport, Tierfarm.
Auskunft: Gemeindeverwaltung Fuldatal – 3501 Fuldatal 1

Der Teufel bringt Erbsen

In dem Dorfe Wilhelmshausen bei Münden wohnte ein Mann in einem Hause, welches auf einem freien Platze stand. Die Leute sagten, er habe mit dem Teufel ein Bündnis gemacht. Eines Nachts bemerkte der Nachtwächter, daß auf dem Hofe eine Menge Erbsen einige Fuß hoch lagen. Er füllte davon seine Taschen voll, weckte darauf den Hausherrn und erzählte ihm, was er gesehen hatte. Dieser ging mit ihm vor die Tür, um sich von der Wahrheit seiner Aussage zu überzeugen. Als sie heraus traten, fühlten sie auf einmal einen heftigen Windstoß; gleich darauf war der Hof von einem eigentümlichen Lichte beleuchtet, welches aber nur einen Augenblick dauerte. Der Nachtwächter erstaunte noch mehr, als er auf dem Hofe keine Erbsen mehr fand. Der Hausherr schalt ihn nun und sagte, er habe ihn betrogen. Zum Beweise der Wahrheit wollte der Nachtwächter die Erbsen aus seiner Tasche hervorholen, allein auch diese waren verschwunden. – Am andern Morgen sah man rings um das Haus auf den Pflastersteinen des Hofes Abdrücke von Erbsen, welche nicht verwischt werden konnten. Noch jetzt sollen einige Steine mit diesen Abdrücken dort sein.

HANN. MÜNDEN

»Wo Werra sich und Fulda küssen,
sie ihren Namen büßen müssen,
und so entsteht durch diesen Kuß
Deutsch bis zum Meer, der Weserfluß.«

So kündet auf dem »Unteren Tanzwerder« der Weserstein von der Entstehung des Stromes, der in vielen Windungen und Schleifen durch ein Land von Märchen und Sagen fließt. Die Stadt Hann. Münden, die Alexander v. Humboldt (1769–1859) als eine der sieben schönst gelegenen der Welt bezeichnet haben soll, ist ein staatlich anerkannter Erholungsort von 28000 Einwohnern. Die fachwerkbunte Stadt des Dr. Eisenbart wird von den drei großen Waldgebirgen Reinhardswald, Bramwald und Kaufunger Wald umgeben.
Die Drei-Flüsse-Stadt Hann. Münden, die bereits vor 900 als prä-urbane Siedlung bestand, wurde vermutlich um 1170 von Heinrich dem Löwen oder den thüringisch-hessischen Ludowingern neu gegründet. Ende des 12. Jh.s erhielt Hann. Münden Stadtrecht und war von 1247 bis 1823 im Besitz des lukrativen Stapelrechtes für den Schiffsverkehr, d.h. alle zu Wasser kommenden Waren mußten drei Tage lang den Bürgern der Stadt zu Vorzugspreisen angeboten werden, ehe sie von Mündener Fuhrleuten oder Schiffen weiterbefördert wurden. Von 1488 bis 1584 war Hann. Münden ständige Residenz des Herzogtums Calenberg-Göttingen. 1626 wurde die Stadt durch Tilly zerstört und geplündert. Weitere Rückschläge des wohlhabenden Ortes brachten der Siebenjährige Krieg und die Napoleonische Zeit.
Der mittelalterliche Stadtkern, umgeben von Wehrtürmen und den Resten der alten Stadtmauer, zeugt mit seinen gepflegten Fachwerkhäusern (vor allem Lange Straße, Ziegelstraße, Marktstraße) von einer vergangenen, blühenden Epoche der Stadt. Wahrzeichen von Hann Münden sind: die St.-Blasii-Kirche, eine im 12. Jh. begonnene, gotisch umgebaute Hallenkirche mit repräsentativem Barockaltar, Taufkessel (1392) und Epitaphien im Innern. Weiterhin das Rathaus, dessen Mittelteil gotischen Ursprungs ist und in den Jahren 1603 bis 1618 zu einem bedeutenden Renaissancebau umgestaltet wurde, sowie das Welfenschloß, das einst den Herzögen von Braunschweig-Lüneburg als Residenz diente. Heute ist es Sitz von Behörden und Domizil des städtischen Heimatmuseums. Innerhalb des Museums, das eine kostbare Sammlung Mündener Fayence enthält, befinden sich das »Römergemach« (1574) und das »Gemach zum weißen Roß« (1562) mit wertvollen Fresken der Renaissance. In der Stadt beachtenswert ist auch die Werrabrücke mit fünf erhaltenen Bogen aus dem Jahre 1329. Bekannt ist Hann. Münden wegen des berühmten »Wundarztes, Oculisten und Steineschneiders« Dr. Johann Andreas Eisenbart, der 1727 in der Stadt starb. Eine prächtige Grabplatte an der Außenwand der St.-Aegidien-Kirche und eine Holzplastik an seinem Sterbehaus, einem Fachwerkhaus in der Langen Straße, halten die Erinnerung an den »Wunderarzt« aufrecht. In der Hauptsaison wird ab Pfingstsonntag, an mindestens jedem zweiten Sonntag, kurz nach elf Uhr das Spiel von Dr. Eisenbart aufgeführt.

Sehenswert: Mittelalterlicher Fachwerkstadtkern als Ensemble, St.-Blasii-Kirche, St.-Aegidien-Kirche, Rathaus, Schloß mit Museum, Werrabrücke.
Freizeitmöglichkeiten: Angeln, Camping, Dampferfahrten, Minigolf, Reiten, Tennis, Wandern, Wassersport; Hochbad-Schwimmstadion, Hallenbad, Märchengarten Grundmühle, Waldlehrpfad, Wildfreigehege.
Auskunft: Fremdenverkehrsbüro der Stadt Münden – 3510 Hann. Münden

Der Doktor Eisenbart

Ich bin der Doktor Eisenbart,
Kurier' die Leut' nach meiner Art,
Kann machen, daß die Blinden geh'n,
Und daß die Lahmen wieder seh'n.

Zu Wimpfen accouchierte (= entbinden) ich
Ein Kind zur Welt gar meisterlich.
Dem Kind zerbrach ich sanft das G'nick,
Die Mutter starb zum großen Glück.

In Potsdam trepanierte (= aufmeißeln) ich
Den Koch des großen Friederich.
Ich schlug ihm mit dem Beil vor'm Kopf,
Gestorben ist der arme Tropf.

Zu Ulm kuriert' ich einen Mann,
Daß ihm das Blut am Beine rann.
Er wollte gern gekuhpockt sein,
Ich impft's ihm mit dem Bratspieß ein.

Des Küsters Sohn in Dideldum
Dem gab ich zehn Pfund Opium,
Drauf schlief er Jahre, Tag und Nacht,
Und ist bis jetzt noch nicht erwacht.

Sodann dem Hauptmann von der Lust
Nahm ich drei Bomben aus der Brust;
Die Schmerzen waren ihm zu groß,
Wohl ihm! er ist die Juden los.

Es hatt' ein Mann in Langensalz
Ein'n zentnerschweren Kropf am Hals,
Den schnürt ich mit dem Hemmseil zu,
Probatum est (= es ist vollbracht), er hat jetzt Ruh!

Der Schulmeister von Itzehöh'
Litt dreißig Jahr' an Diarrhoe (= Durchfall).
Ich gab ihm Cremor Tart'ri (= Weinsäure/-stein) ein;
Er ging zu seinen Vätern ein.

Es litt ein Mann am schwarzen Star,
Das Ding, das ward ich gleich gewahr;
Ich stach ihm beide Augen aus,
Und so bracht ich den Star heraus.

Der schönen Mamsell Pimpernell
Zersprang einmal das Trommelfell;
Ich spannt' ihr Pergament vor's Ohr,
Drauf hörte sie grad' wie zuvor.

Zu Prag da nahm ich einem Weib
Zehn Fuder Steine aus dem Leib.
Der letzte war ihr Leichenstein.
Die wird wohl jetzt kurieret sein.

Das ist die Art wie ich kurier',
Sie ist probat (= anerkannt), ich bürg' dafür.
Daß jedes Mittel Wirkung tut,
Schwör' ich bei meinem Doktorhut.

Refrain:
Ich bin der Doktor Eisenbart,
widdewiddewitt bumm bumm!
Kurier die Leut auf meine Art,
widdewiddewitt bumm bumm!
Kann machen, daß die Blinden gehn
und daß die Lahmen wieder sehn.
Widdewiddewitt juchheirassa,
widdewiddewitt bumm bumm!

REINHARDSHAGEN

Die Gemeinde Reinhardshagen mit ihren 4500 Einwohnern liegt am Oberlauf der Weser zwischen Reinhardswald und Bramwald. Reinhardshagen entstand im Jahre 1971 durch den Zusammenschluß der beiden Gemeinden Vaake, einem staatlich anerkannten Luftkurort, und Veckerhagen, einem staatlich anerkannten Luftkurort und Familienferienort.
Der Ortsteil Vaake wurde schon im Jahre 978 als Fischerdorf erwähnt, in dessen Umgebung die Klöster Corvey und Fulda Besitzungen hatten. 1304 war das Dorf Vaake Eigentum des Edelherrn Konrad von Schöneberg und gehörte später gemeinsam den Herzögen von Braunschweig und den Landgrafen von Hessen, an die Vaake im Jahre 1538 durch Tausch ganz überging. Der Ortsteil Veckerhagen, in dem die Herren von Schöneberg vermutlich einen Hof besaßen, wurde von ihren Lehnsleuten, den Rittern Vecker, als »Hagen« angelegt und fand 1297 erstmals urkundlich Erwähnung. Seit 1377 war der Ort alleiniger Besitz der hessischen Landgrafen, die 1430/31 zur Sicherung der Weserfurt eine Burg erbauten. Ende des 17. Jh.s ließ Landgraf Karl anstelle der baufällig gewordenen Burg ein Barockschloß errichten.
Sehenswert sind die unter niederdeutschem Einfluß errichteten Fachwerkhäuser aus dem 17. und 18. Jh. Im Ortsteil Vaake steht am Ufer der Weser unter alten Bäumen die spätromanische Wehrkirche aus dem 13. Jh. mit beachtenswerten Wandmalereien. Im Ortsteil Veckerhagen befinden sich das stattliche Barockschloß (1689 bis 1690 von P. du Ry) sowie die 1778 errichtete Pfarrkirche mit der hübschen Spätrokoko-Orgel.

Sehenswert: Fachwerkhäuser, spätromanische Dorfkirche Vaake, Kirche in Veckerhagen, Barockschloß (Privatbesitz).
Freizeitmöglichkeiten: Angeln, Camping, Dampferfahrten, Kutschfahrten, Minigolf, Wandern, Wassersport; Freibad, Freizeit- und Erholungszentrum »Nasse Ahle« mit Gartenhallenbad.
Auskunft: Gemeindeverwaltung Reinhardshagen – Verkehrsamt – 3512 REINHARDSHAGEN

Die Sage vom Reinhardswald

Zwischen Weser, Diemel und Esse erstreckt sich der Reinhardswald. Vor ungefähr 700 Jahren war hier einmal Feld, als die Kornpreise einmal sehr hoch lagen und die Leute aus den Taldörfern von dort fortgezogen sind, um im Wald Huteeichen zu schlagen und den Waldboden zu pflügen.
Zu eben dieser Zeit lebte dort der Graf Reinhard, dem alles Land und alle Dörfer zwischen Weser und Diemel gehörte. Er war ein besessener Spieler, doch war das Glück stets bei seinem Gegner, dem Bischof von Paderborn. Als der Graf wieder einmal verloren hatte, setzte er seine ganze Grafschaft aufs Spiel. Die Würfel fielen, und er war ruiniert. So schnell gab sich Graf Reinhard jedoch nicht geschlagen. Voller List fragte er den Bischof, ob es ihm

vergönnt sei, noch eine letzte Aussaat und Ernte auf seinem Boden zu machen. Der Bischof war damit einverstanden.
Aber was säte der Graf im Herbst? Nichts als Eicheln und Bucheckern! Die Dörfer ließ er niederbrennen, und über die alten Hofstätten ging der Pflug. Im Frühjahr reckten sich die jungen Bäumchen, und es grünte talauf und talab.
Als der Bischof im Herbst wiederkam, um seinen Besitz anzutreten, führte ihn der listige Graf hinaus in die Flur. »Ihr seht ja, Herr Bischof, meine Ernte ist noch nicht soweit, Ihr müßt Euch noch etwas gedulden.«
Er ist wohl darüber gestorben, denn immer noch rauschen die Eichen und Buchen im Reinhardswald.

HOFGEISMAR

Eingebettet in das weite Tal der Esse und Lempe liegt westlich vom Reinhardswald die 13000 Einwohner zählende Stadt Hofgeismar.
Vermutlich als fränkischer Königshof gegründet, wurde Hofgeismar schon früh Besitz der Erzbischöfe von Mainz und erhielt 1223 Stadtrechte. Im 15. Jh. an die hessischen Landgrafen verpfändet, fiel Hofgeismar 1583 endgültig an Hessen und wurde nach der Einführung der Reformation zu einem Zentrum des Protestantismus. Ende des 17. Jh.s kamen zahlreiche um ihres Glaubens willen vertriebene piemontesische und französische Waldenser und Hugenotten nach Hofgeismar, wo sie am Rande der Stadt in den »Colonien« Kelze, Carlsdorf, Schöneberg und Friedrichsdorf angesiedelt wurden. – Nach der Entdeckung zweier mineralischer Quellen im Jahre 1639 im unteren Tal der Lempe eilten Kranke und Gebrechliche aus allen Teilen Deutschlands zum wundertätigen »Gesundbrunnen« in der Hoffnung, dort von ihren Leiden geheilt zu werden. Im 18. Jh. errichteten die Landgrafen von Hessen-Kassel eine Kur- und Badeanlage, und der Gesundbrunnen wurde vorübergehend Staatsbad.
Gut erhalten aus dieser Zeit ist die weitläufige Barockanlage Gesundbrunnen mit Karlsbad, Wilhelmsbad, Friedrichsbad und dem Quelltempel sowie im englischen Park das Schlößchen Schönburg (1787–1789) des Kasseler Hofarchitekten S. L. du Ry, das wegen seiner Proportion und Einzelformen als bedeutendes Werk des Frühklassizismus gilt. – Sehenswert bei einem Gang durch die Altstadt von Hofgeismar sind die Altstädter Kirche, eine dreischiffige gotische Hallenkirche mit dem Hofgeismarer Altar (Passionstafel um 1320), ein bedeutendes Werk der frühen deutschen Tafelmalerei; das Dekanatsgebäude am Altstädter Kirchplatz (im Kern 14. Jh.); das von zahlreichen Fachwerkhäusern aus dem 16. und 17. Jh. umgebene Rathaus auf dem Marktplatz mit Glockenspiel (über den Grundmauern eines 1387 errichteten Baues); der fast vollständig erhaltene Stadtmauerring mit dem Stadtgraben, dem Sälber Tor und Kasseler Tor sowie die Neustädter Kirche, eine gotische Hallenkirche aus dem 14./15. Jh. Lohnende Ziele in der Umgebung sind die französisch-hugenottischen Fachwerkhäuser und Fachwerkkirchen in den Stadtteilen Schöneberg, Carlsdorf (französische Inschriften) und Kelze. Einer der Höhepunkte der Deutschen Märchenstraße überhaupt ist der sagenumwobene Reinhardswald mit dem Naturschutzgebiet »Urwald«, dem kurfürstlichen Jagdschloß aus dem Jahre 1829 im Stadtteil Beberbeck; dem von Landgraf Wilhelm IV. 1571 angelegten Tierpark Sababurg (rückgezüchtete Ure, Wisente, Urwildpferde, Tarpane), der flächenmäßig zu den größten zoologischen Einrichtungen des Kontinents zählt, sowie das frühere Jagdschloß der hessischen Landgrafen, die märchenhafte Sababurg, die weithin als das Dornröschenschloß bekannt ist.

Sehenswert: Altstädter Kirche mit Hofgeismarer Altar, Neustädter Kirche, Rathaus, Fachwerkhäuser, Stadtmauer mit Stadttoren, Kunstgalerie am Markt, Barockanlage Gesundbrunnen mit Quelltempel und Schlößchen Schönburg (heute Ev. Akademie), Hugenottenkirchen, Schloß Beberbeck und Dornröschenschloß Sababurg, Urwald.
Freizeitmöglichkeiten: Angeln, Camping, Reiten, Schießsport, Segelfliegen, Tennis, Wandern; Freibad, Hallenbad, Vogelpark Hombressen, Tierpark Sababurg.
Auskunft: Magistrat Stadt Hofgeismar – 3520 HOFGEISMAR

Wie der Gesundbrunnen entstand

Die Stadt Hofgeismar hatte besonders im schlimmen 30jährigen Krieg viel von den Feinden zu leiden. Gar oft wurde sie belagert und besonders von den »Schanzen« aus beschossen, die der Feind auf einer Anhöhe vor der Stadt aufgeworfen hatte. Aber vergeblich bestürmte sie im Jahre 1633 General Götz; denn neben der Besatzung kämpften mutig die Bürger, und selbst ein Soldatenweib, die große Grete genannt, zeichnete sich durch ihre Tapferkeit aus. In jener Zeit gab es in Hofgeismar gar viele, die an Wunden und Krankheiten aller Art litten, wie sie der Krieg mit sich bringt. Unter den Kranken war auch der Kaiserliche General Melander, der nun nicht mehr an den ferneren Schlachten teilnehmen konnte. Jahrelang hatte er schon gelitten, als er auf einmal sah, daß es einem gemeinen Soldaten, der mit derselben Krankheit behaftet war, von Tag zu Tag besser ging. Auf seine Frage, wie das käme, erfuhr er von dem Soldaten, daß er jeden Tag aus einer Quelle dort unten in einer Wiese an der Lempe trinke, die von großer Heilkraft sei. Der General besuchte auch die Quelle, trank daraus und fühlte schon nach wenigen Tagen Besserung. Schon nach kurzer Zeit war Melander völlig geheilt. Die Kunde von der wunderbaren Genesung drang auch bald bis zu dem damaligen Landgrafen Karl von Hessen. Dieser ließ die Quelle fassen, bald strömten zahlreiche Kranke herbei, und im Jahre 1701 bezeugten Haufen von Krücken, Schellen, Hörrohren, welche die Genesenen zurückgelassen hatten, die wohltätige Wirkung des Wassers. Wenige Jahre darauf entdeckte man noch eine zweite Quelle und fing auch an, die Umgegend zu verschönern und an dem Brunnen selbst Gebäude aufzuführen. Durch die späteren Fürsten wurden diese vermehrt, und endlich wurde durch Kurfürst Wilhelm I. das Bad mit seinem Park und dem freundlichen Schlößchen Schönburg geschmückt, das man nach der Burg nannte, die sich einst stolz auf dem Schöneberg erhoben hatte.

Dornröschen

Hofgeismar – Sababurg

Vor Zeiten war ein König und eine Königin, die sprachen jeden Tag: »Ach, wenn wir doch ein Kind hätten!«, und kriegten immer keins. Da trug sich zu, als die Königin einmal im Bade saß, daß ein Frosch aus dem Wasser ans Land kroch und zu ihr sprach: »Dein Wunsch wird erfüllt werden, ehe ein Jahr vergeht, wirst du eine Tochter zur Welt bringen.« Was der Frosch gesagt hatte, das geschah, und die Königin gebar ein Mädchen, das war so schön, daß der König vor Freude sich nicht zu lassen wußte und ein großes Fest anstellte. Er lud nicht bloß seine Verwandten, Freunde und Bekannten, sondern auch die weisen Frauen dazu ein, damit sie dem Kind hold und gewogen wären. Es waren ihrer dreizehn in seinem Reiche, weil er aber nur zwölf goldene Teller hatte, von welchen sie essen sollten, so mußte eine von ihnen daheim bleiben. Das Fest ward mit aller Pracht gefeiert, und als es zu Ende war, beschenkten die weisen Frauen das Kind mit ihren Wundergaben: die eine mit Tugend, die andere mit Schönheit, die dritte mit Reichtum, und so mit allem, was auf der Welt zu wünschen ist. Als elfe ihre Sprüche eben getan hatten, trat plötzlich die dreizehnte herein. Sie wollte sich dafür rächen, daß sie nicht eingeladen war, und ohne jemand zu grüßen oder nur anzusehen, rief sie mit lauter Stimme: »Die Königstochter soll sich in ihrem fünfzehnten Jahr an einer Spindel stechen und tot hinfallen.« Und ohne ein Wort weiter zu sprechen, kehrte sie sich um und verließ den Saal. Alle waren erschrocken, da trat die zwölfte hervor, die ihren Wunsch noch übrig hatte, und weil sie den bösen Spruch nicht aufheben, sondern nur ihn mildern konnte, so sagte sie: »Es soll aber kein Tod sein, sondern ein hundertjähriger tiefer Schlaf, in welchen die Königstochter fällt.«

Der König, der sein liebes Kind vor dem Unglück gern bewahren wollte, ließ den Befehl ausgehen, daß alle Spindeln im ganzen Königreiche sollten verbrannt werden. An dem Mädchen aber wurden die Gaben der weisen Frauen sämtlich erfüllt, denn es war so schön, sittsam, freundlich und verständig, daß es jedermann, der es ansah, liebhaben mußte. Es geschah, daß an dem Tage, wo es gerade fünfzehn Jahr alt ward, der König und die Königin nicht zu Haus waren, und das Mädchen ganz allein im Schloß zurückblieb. Da ging es allerorten herum, besah Stuben und Kammern, wie es Lust hatte, und kam endlich auch an einen alten Turm. Es stieg die enge Wendeltreppe hinauf und gelangte zu einer kleinen Türe. In dem Schloß steckte ein verrosteter Schlüssel, und als es umdrehte, sprang die Türe auf, und saß da in einem kleinen Stübchen eine alte Frau mit einer Spindel und spann emsig ihren Flachs. »Guten Tag, du altes Mütterchen«, sprach die Königstochter, »was machst du da?« »Ich spinne«, sagte die Alte und nickte mit dem Kopf. »Was ist das für ein Ding, das so lustig herumspringt?«, sprach das Mädchen, nahm die Spindel und wollte auch spinnen. Kaum hatte sie aber die Spindel angerührt, so ging der Zauberspruch in Erfüllung, und sie stach sich damit in den Finger.

In dem Augenblick aber, wo sie den Stich empfand, fiel sie auf das Bett nieder, das da stand, und lag in einem tiefen Schlaf. Und dieser Schlaf verbreitete sich über das ganze Schloß: der König und die Königin, die eben heimgekommen waren und in den Saal getreten waren, fingen an einzuschlafen, und der ganze Hofstaat mit ihnen. Da schliefen auch die Pferde im Stall, die Hunde im Hofe, die Tauben auf dem Dache, die Fliegen an der Wand, ja, das Feuer auf dem Herde flackerte, ward still und schlief ein, und der Braten hörte auf zu brutzeln, und der Koch, der den Küchenjungen, weil er etwas versehen hatte, in den Haaren ziehen wollte, ließ ihn los und schlief. Und der Wind legte sich, und auf den Bäumen vor dem Schloß regte sich kein Blättchen mehr.

Rings um das Schloß aber begann eine Dornenhecke zu wachsen, die jedes Jahr höher ward, und endlich das ganze Schloß umzog und darüber hinauswuchs, daß gar nichts mehr davon zu sehen war, selbst nicht die Fahne auf dem Dach. Es ging aber die Sage in dem Land von dem schönen schlafenden Dornröschen, denn so ward die Königstochter genannt, also daß von Zeit zu Zeit Königssöhne kamen und durch die Hecke in das Schloß dringen wollten. Es war ihnen aber nicht möglich, denn die Dornen, als hätten sie Hände, hielten fest zusammen, und die Jünglinge blieben darin hängen, konnten sich nicht wieder losmachen und starben eines jämmerlichen Todes. Nach langen, langen Jahren kam wieder einmal ein Königssohn in das Land und hörte, wie ein alter Mann von der Dornenhecke erzählte, es sollte ein Schloß dahinter stehen, in welchem eine wunderschöne Königstochter, Dornröschen genannt, schon seit hundert Jahren schliefe, und mit ihr schliefe der König und die Königin und der ganze Hofstaat. Er wußte auch von seinem Großvater, daß schon viele Königssöhne gekommen wären und versucht hätten, durch die Dornenhecke zu dringen, aber sie wären darin hängengeblieben und eines traurigen Todes gestorben. Da sprach der Jüngling: »Ich fürchte mich nicht, ich will hinaus und das schöne Dornröschen sehen.« Der gute Alte mochte ihm abraten, wie er wollte, er hörte nicht auf seine Worte.

Nun waren aber gerade die hundert Jahre verflossen, und der Tag war gekommen, wo Dornröschen wieder erwachen sollte. Als der Königssohn sich der Dornenhecke näherte, waren es lauter große schöne Blumen, die taten sich von selbst auseinander und ließen ihn unbeschädigt hindurch, und hinter ihm taten sie sich wieder als eine Hecke zusammen. Im Schloßhof sah er die Pferde und scheckigen Jagdhunde liegen und schlafen, auf dem Dache saßen die Tauben und hatten das Köpfchen unter den Flügel gesteckt. Und als er ins Haus kam, schliefen die Fliegen an der Wand, der Koch in der Küche hielt noch die Hand, als wollte er den Jungen anpacken, und die Magd saß vor dem schwarzen Huhn, das sollte gerupft werden. Da ging er weiter und sah im Saale den ganzen Hofstaat liegen und schlafen, und oben bei dem Throne lag der König und die Königin. Da ging er noch weiter und alles war so still, daß er seinen Atem hören konnte, und endlich kam er zu dem Turm und öffnete die

Türe zu der kleinen Stube, in welcher Dornröschen schlief. Da lag es und war so schön, daß er die Augen nicht abwenden konnte, und er bückte sich und gab ihm einen Kuß. Wie er es mit dem Kuß berührt hatte, schlug Dornröschen die Augen auf, erwachte und blickte ihn ganz freundlich an. Da gingen sie zusammen herab, und der König erwachte und die Königin und der ganze Hofstaat, und sahen einander mit großen Augen an. Und die Pferde im Hof standen auf und rüttelten sich: die Jagdhunde sprangen und wedelten: die Tauben auf dem Dache zogen das Köpfchen unterm Flügel hervor, sahen umher und flogen ins Feld, die Fliegen an den Wänden krochen weiter, das Feuer in der Küche erhob sich, flackerte, und kochte das Essen, der Braten fing wieder an zu brutzeln, und der Koch gab dem Jungen eine Ohrfeige, daß er schrie, und die Magd rupfte das Huhn fertig. Und da wurde die Hochzeit des Königssohns mit dem Dornröschen in aller Pracht gefeiert, und sie lebten vergnügt bis an ihr Ende.

TRENDELBURG

Auf einem Sandsteinfelsen erhebt sich als Wahrzeichen der Landschaft zwischen Diemel und dem Reinhardswald das Landstädtchen Trendelburg, das mit seinen Stadtteilen 6000 Einwohner hat und als Luftkurort staatlich anerkannt ist.
Im 13. Jh. durch die Herren von Schöneberg als Ort mit Burg angelegt, erhielt Trendelburg im Jahre 1303 Stadtrechte. 1305 wurde Trendelburg je zur Hälfte an den Bischof von Paderborn und den Landgrafen von Hessen verpfändet und war später wegen der strategischen Bedeutung als Furt an der alten »Straße der Karolinger« von Kassel nach Bremen lange Jahre ein Zankapfel zwischen dem Bischof von Paderborn und Mainz sowie dem hessischen Landgrafen, in dessen alleinigen Besitz Trendelburg 1597 endgültig gelangte. Der heutige Stadtteil Gottsbüren wurde bereits Anfang des 9. Jh.s als »Buria« erwähnt. Um 1330 verbreitete sich die Kunde, man habe im Reinhardswald bei dem Dorfe Gottsbüren den unverwesten Leichnam des Herrn mit blutigen Tropfen gefunden. Alsbald kamen Pilger in solch großer Zahl nach Gottsbüren, daß 1331 mit dem Bau einer eigenen Wallfahrtskirche unter dem Patronat des Rates der Stadt Hofgeismar sowie des Klosters Lippoldsberg begonnen werden konnte. Mit dem Nachlassen der Wallfahrten geriet der Ort in Vergessenheit.
In der ehemaligen Wallfahrtskirche von Gottsbüren, einer breiträumigen dreischiffigen Hallenkirche mit zwei Jochen, sind die spätgotischen Wandmalereien aus dem 15. Jh. besonders zu erwähnen. Im Ort selber stehen zahlreiche stattliche Fachwerkgehöfte aus dem 17. und 18. Jh. Sehenswert in Trendelburg sind die malerisch auf einem Sandsteinbuckel gelegene Burg Trendelburg (heute Hotel und Restaurant) mit Bergfried; die spätgotische Marienkirche mit Wandmalereien; das aus dem Jahre 1582 stammende Rathaus mit Sonnenuhr und die gepflegten Fachwerkhäuser diemelsächsischer Prägung. Zu beachten ist ferner der an schmucken Fachwerkgehöften reiche Stadtteil Deisel mit seiner hübschen Kirche (16. Jh.).

Sehenswert: Burg Trendelburg mit Bergfried, Fachwerkhäuser, spätgotische Marienkirche, Rathaus, Wallfahrtskirche in Gottsbüren.
Freizeitmöglichkeiten: Angeln, Camping, Kutschfahrten, Reiten, Tennis, Wandern, Wassersport; Freibad, Waldsportpfad.
Auskunft: Verkehrsamt der Stadt Trendelburg – 3526 Trendelburg

Die Jungfrau im Brunnen bei Trendelburg

Ein Ritter auf der Trendelburg hielt sich einen Sterndeuter, welcher ihm eines Tages die unheilvolle Weissagung mitteilte, daß eine Tochter, womit der Himmel sein Weib segnen werde, dermaleinst vom Blitze werde erschlagen werden. Der erste Teil dieser Prophezeiung ging auch bald in Erfüllung, es ward ihm ein gesundes Töchterchen geboren. Das Schicksal zu verhüten, das die Sterne demselben zum voraus bestimmt hatten, baute der Ritter ein unterirdisches Gemach, und die Eltern warteten des Kindes, bis es zur Jungfrau herangewachsen und 18 Jahre alt geworden war. Da sammelte sich einst

in schwüler Sommerzeit ein Gewitter über dem Schlosse; Donner und Blitz fuhren ohne Unterlaß aus dem schwarzen Gewölk. Unter Furcht und Hoffnung vergingen Tag und Nacht; das Wetter verzog sich nicht; auch nach der zweiten Nacht trat keine Änderung ein. Nach der dritten Nacht aber bat die Tochter, dringend ins Freie geführt zu werden, und der Vater, der unabwendbaren Fügung nachgebend, willigte endlich ein. Kaum hatte sie ihr unterirdisches Gemach verlassen, als dasselbe von einem heftigen Donnerschlag erschüttert zusammenstürzte, und so wie sie den Fuß ins Freie setzte, tötete ein Blitzstrahl den zarten Körper der Jungfrau. Tief fuhr der Blitz in die Erde, eine Öffnung zurücklassend, welche sich mit Wasser füllte. Lange Jahre vergingen, da wollten pflügende Bauern einmal die Tiefe des Wassers ausmessen, sie banden ihre Ackerseile aneinander, befestigten einen Stein an das untere Ende und senkten denselben in das Wasser, plötzlich rief eine Stimme aus der Tiefe: »Laßt sinken, sonst müßt ihr alle ertrinken!« Erschrocken ließen sie die Seile fallen und ergriffen die Flucht. Am andern Tage fand man die Seile in dem nahen Waschbecken bei Ostheim.
Einmal hütete ein Schäfer bei dem Wetterloche, welches die Wolkenbrüche genannt wird, als eine Jungfrau in seltsamer, altertümlicher Tracht ihm erschien. Sie winkte ihm, daß er über das Wasser herüberkommen möchte, doch wagte er nicht, auf den Wasserspiegel zu treten, da er nicht anders glauben konnte, als daß er augenblicklich in die Tiefe sinken müsse. Zweimal noch erschien die Jungfrau dem Schäfer und wiederholte ihre Bitte, von deren Erfüllung, wie sie sagte, ihre Erlösung abhing, allein er hatte den Mut nicht dazu. Die Jungfrau soll aber alle sieben Jahre erscheinen.

WOLKENBRÜCHE: Erdvertiefungen, ca. 2 km von Trendelburg; Richtung Trendelburg-Friedrichsfeld

BAD KARLSHAFEN

Die 4600 Einwohner zählende barocke Badestadt Karlshafen liegt an der Mündung der Diemel in die Weser zwischen den bewaldeten Ausläufern des Reinhardswaldes und des Sollings. Die ehemalige Klosterburgstadt Helmarshausen an der Diemel, heute ein Stadtteil von Bad Karlshafen, ist ein staatlich anerkannter Luftkurort.
Das vielleicht aus einem Königshof entstandene Helmarshausen wurde im Jahre 944 erstmalig erwähnt. Die wegen ihrer Buchmalerei und Goldschmiedekunst sehr bedeutende Benediktinerabtei Helmarshausen, die von Otto III. 997 Münz-, Zoll- und Marktrechte erhielt, kam im Jahre 1017 durch eine Schenkung König Heinrichs II. an den Bischof Meinwerk von Paderborn. Von 1215 bis 1220 ließ der Erzbischof Engelbert von Köln die hoch über Helmarshausen aufragende Krukenburg errichten. Nach langen Fehden zwischen Hessen und Paderborn fiel die Stadt im 16. Jh. an Hessen. 1536 wurde die Abtei aufgehoben und verfiel. Um den für die hessische Wirtschaft hemmenden Zoll- und Stapelplatz Hann. Münden zu umgehen, ließ Landgraf Karl von Hessen-Kassel 1699 den Bau eines Kanals von der Weser bis nach Kassel in Angriff nehmen, doch blieben die Arbeiten bei dem Dorfe Hümme stecken. Am nördlichsten Punkt des geplanten Kanals an der Mündung der Diemel in die Weser siedelte Karl Hugenotten und Waldenser an. Er gründete 1699 eine Hafenstadt, die ihren Namen nach der altgermanischen Fliehburg »Sieburg« oberhalb der neuen Stadt erhielt. 1715 wurde die Stadt zu Ehren des Landgrafen in »Karlshafen« umbenannt.
Bad Karlshafen verdankt seinen ausgezeichneten Ruf als Kurort der heilkräftigen Solequelle, die seit 1838 aus 36 m Tiefe sprudelt. Den baulichen Mittelpunkt der nach dem Reißbrett angelegten Stadt bildet das im 18. Jh. von Oberst Fr. Conradi errichtete Rathaus mit seinen charakteristischen Arkaden im Erdgeschoß und dem mächtigen Dach über dem Hauptgeschoß. Die architektonische Klarheit der weißen Häuserkarrees beiderseits des stillen Hafenbeckens, das Freihaus (1723 von Conradi erb.), das Zollhaus, die ehemalige Thurn- und Taxis'sche Posthalterei sowie das dreigeschossige Invalidenhaus (1704–1710 durch Conradi err.) prägen das unverwechselbare Gesicht der Hugenottenstadt.
Im 1000jährigen Stadtteil Helmarshausen bestimmen noch heute die auf einem Bergrücken hoch über der Diemel gelegene Krukenburg (13. Jh.), reizvolle Fachwerkbauten diemelsächsischer Prägung (16.–18. Jh.), Befestigungsanlagen und Reste der ehemaligen Benediktinerabtei das Bild der Klosterburgstadt.

Sehenswert: Barocker Stadtkern um das Hafenbecken, Rathaus mit Glockenspiel und Landgrafensaal, Invalidenhaus, Befestigungsanlagen im Stadtteil Helmarshausen, Fachwerkhäuser, Reste des Benediktinerklosters, Krukenburg.
Freizeitmöglichkeiten: Angeln, Dampferfahrten, Freiluftschach, Kutschfahrten, Minigolf, Reiten, Schießsport, Tennis, Wandern, Wassersport; Sole-Mineralschwimmbad, Hallenbad, Tierpark, Waldlehrpfad.
Auskunft: Städtische Kurverwaltung – 3522 Bad Karlshafen

Die Entstehung der Stadt Karlshafen

Nachdem im 30jährigen Krieg die Stadt Helmarshausen zerrüttet und das zu ihr gehörige feste Schloß Krukenburg zerstört worden war, da haben die Bürger einen Plan vereitelt, durch den Helmarshausen ansehnlich und blühend geworden wäre. Landgraf Karl von Hessen wollte nämlich hier erschaffen, was er nachher durch die Anlage von Karlshafen ausführte, einen Hafen- und Handelsplatz zu erbauen, nachdem seine Bemühungen, seinem Lande die wichtige Handelsstadt Münden wieder zu erwerben, vereitelt worden waren. Aber die Bürgerschaft von Helmarshausen verweigerte unter allerlei Vorwänden, ihre Gärten zur Erweiterung der Stadt durch französische Religionsflüchtlinge herzugeben. Da soll Landgraf Karl gezürnt haben: »Ihr wollt mir eine Brill aufsetzen, aber ich will euch eine andere aufsetzen.« Darauf ging er hin und baute nahe unter Helmarshausen Karlshafen.
Es wird erzählt, einem Eber nachjagend, sei der Landgraf zum erstenmal selber dorthin gekommen, wo sich die Diemel mit der Weser vermählt, und dorthin, wo er den Eber gestellt und abgefangen habe, sei das erste Haus gesetzt worden. Es war eine sumpfige Waldöde, die Stätte eines altdeutschen Totenhaines, und eine große Zahl von Aschenkrügen mußte aufgestört werden aus ihrer tausendjährigen Ruhe. Der Oberst Münnich und der Artillerie-Kapitän Conradi führten die Pläne des Landgrafen aus. Im Jahre 1700 erstand das erste Haus, die neue Bürgerschaft bildete sich größtenteils aus den französischen Flüchtlingen.

KAUFUNGEN

Die 11 000 Einwohner zählende Gemeinde Kaufungen liegt am Eingang des Lossetales am westlichen Rand des Naturparks Kaufunger Wald.
Der genaue Zeitpunkt der Gründung der früheren Dörfer Oberkaufungen und Niederkaufungen ist ungewiß, wahrscheinlich aber sind sie um das Jahr 800 entstanden. Im Jahre 1008 schenkte Kaiser Heinrich II. seiner Gemahlin Kunigunde die Stadt Kassel als Ersatz für Bamberg und erbaute in Kaufungen eine neue Kaiserpfalz. In der Pfalz wurde 1017 auf Grund eines Gelübdes der Kaiserin ein Benediktinerinnenkloster gegründet, dem Heinrich II. im Jahre 1019 die Kaiserpfalz mit Salhöfen übertrug. 1017 legten Kaiser und Kaiserin den Grundstein zum Bau der »Kirche zum Heiligen Kreuz«, der heutigen Stiftskirche von Kaufungen. Nach dem Tode ihres Gatten im Jahre 1024 trat Kaiserin Kunigunde ein Jahr später als Nonne in das Kloster Kaufungen ein; sie starb dort im Jahre 1033 und wurde an der Seite ihres Gemahls im Dom zu Bamberg beigesetzt. 1297 übernahmen die hessischen Landgrafen als Vögte die Rechtsvertretung des Klosters, das 1527 säkularisiert wurde.
Noch heute läßt sich die reiche geschichtliche Vergangenheit Kaufungens an den historischen Baudenkmälern ablesen. Erhalten sind die »Stiftskirche zum Heiligen Kreuz«, die in spätromanischer und gotischer Zeit zahlreiche Veränderungen erfuhr, mit Wandmalereien aus dem 15. und 16. Jh. im Inneren; die frühromanische St.-Georgs-Kapelle (heute Heimatmuseum); die 1606 errichtete »ritterschaftliche Renterei«, ein stattlicher Fachwerkbau, und ihr gegenüber das »Herrenhaus« mit sogenanntem Rittersaal. Beachtenswert in Kaufungen sind zahlreiche gut erhaltene Fachwerkhäuser aus dem 17. und 18. Jh. sowie der »Roßgang« (einzig erhaltener Pferdegöpel in Westeuropa), ein seltenes Denkmal alter Bergbautechnik.

Sehenswert: Stiftskirche zum Hl. Kreuz, St.-Georgs-Kapelle, Renterei, Herrenhaus, Fachwerkhäuser, Roßgang.
Freizeitmöglichkeiten: Angeln, Reiten, Tennis, Wandern; Lufthallenschwimmbad, Rollschuhbahn, Trimm-dich-Pfad, Wassertretstelle.
Auskunft: Gemeinde Kaufungen – 3504 Kaufungen

Kunigunde, die kaiserliche Nonne

Kunigunde, die erste Frau des Reiches, ist nach dem Tode ihres kaiserlichen Gemahls Nonne geworden. Von der Welt und allem Irdischen hat sie Abschied genommen. Dem »himmlischen Bräutigam« will sie nacheifern in selbstloser Hingabe. Zu den niedrigsten Arbeiten drängt sie sich. In den Hütten der Ärmsten der Armen ist sie ein täglich erwarteter Gast, Siechen und Kranken tröstende Helferin. Gläubig leuchten die Augen der Kranken, wenn sie mit liebender Hand über die fiebernde Stirne streicht. Sterbenden gibt sie hoffnungsvollen Trost. Mag die Zahl der Bittenden und Klagenden am Stiftstor noch so groß werden, ihr freundlicher Blick und ihr warmes Herz sind größer.

Die hohe, stets freundliche KAISERIN haben die Kaufunger geehrt und geachtet. Der schlichten NONNE sind sie in Liebe ergeben, und in tiefer Ehrfurcht verneigt man sich vor der HEILIGEN.
Ins Klosterleben eingetreten, übte sich Kunigunde in jeder Art christlicher Frömmigkeit zur größten Verwunderung aller, indem sie, die vortrefflichste Frau des ganzen Reiches, Gräfin und Kaiserin, den andern die Füße wusch, den Tisch deckte, Wasser über die Hände goß und den Siechen mit regem Eifer zu Diensten stand.

Das war ein heißer Tag heute. Müde und abgespannt haben sich die Nonnen in ihrem Schlafsaal zur Ruhe niedergelegt. Drüben in der Ecke steht Kunigundes einfaches Bett. Eine junge Nonnenschwester sitzt im Schein einer brennenden Kerze auf dem Bettrand und liest ihr, wie jeden Abend, eine Heiligenlegende vor. Kunigunde, von des Tages Last erschöpft, ist eingeschlafen. Der Vorleserin sind auch die müden Augen zugefallen. – Da, ein Windstoß fährt durchs offene Fenster, die Kerze stürzt und fällt in Kunigundes Bett! Ein lauter Schrei! Die Nonnen springen aus ihren Betten. Händeringend laufen sie hin und her, sie wissen nicht, wie sie helfen können.
Ruhig und gelassen liegt Kunigunde inmitten der todbringenden Flammen. Das heilige Kreuz hat sie ergriffen. Sie droht den Flammen, da erlöschen sie. Nicht ein Zeichen der Verletzung ist zu sehen.

HELSA

Die knapp 6000 Einwohner zählende Gemeinde Helsa liegt im landschaftlich reizvollen Tal der Losse im Naturpark Meißner-Kaufunger Wald. Der Ortsteil Wickenrode ist ein staatlich anerkannter Erholungsort; die Kerngemeinde Helsa als Luftkurort staatlich anerkannt.

Der Ort wurde 1058 als »Helsen« erstmals genannt. Enge Beziehungen ergaben sich zu dem Kloster Kaufungen, das die Gerichtsbarkeit innehatte und auch die Stiftsgreben (= Gemeindevorsteher) ernannte. Aus der Notwendigkeit heraus, sich vor anrückenden Feinden zu schützen, wurde die Kirche in Helsa als Wehrkirche angelegt. Der Ortsteil Wickenrode wurde urkundlich erstmalig im 14. Jh. erwähnt, als die Glasherstellung in Deutschland Fuß faßte. Die benötigten Grundstoffe fanden sich in reichem Maße im Wickenröder Tal, und in der Folgezeit entstanden zahlreiche Glashütten.

Stattliche Fachwerkhäuser aus dem 17.–19. Jh. bestimmen das schmucke Ortsbild der Gemeinde Helsa. Die Pfarrkirche von Helsa mit ihrem abseits stehenden Turm liegt eindrucksvoll inmitten des ehemaligen Wehrkirchhofes. Der Turm, der durch eine Ringmauer geschützt wurde und auch den Kirchhof umschloß, wurde in seinem Unterbau (13. Jh.) massiv errichtet und mit Gußerkern und Pechnasen versehen. Der Turm der Pfarrkirche im Ortsteil Eschenstruth stammt aus dem 12. Jh.; das Fachwerkhaus mit reichem Portal im Mühlweg wurde 1680 erbaut.

Sehenswert: Fachwerkhäuser aus dem 17.–19. Jh., Kirchen in Helsa und Eschenstruth.
Freizeitmöglichkeiten: Angeln, Freiluftbowling, Wandern, Wintersport; Freibad, Waldlehrpfad, Waldsportpfad.
Auskunft: Gemeindeverwaltung Helsa – 3506 HELSA

Hoher Besuch

Im Sommer kam der Kaiser mit seiner Familie mehrere Wochen nach Wilhelmshöhe und fuhr bei dieser Gelegenheit auch mal durch Helsa. Das benutzte der Kronewirt, der immer zu Streichen aufgelegt war, für einen Schabernack. Er rief den Postverwalter in Helsa an und tat so, als spräche das Hofmarschallamt. Er gab an, daß der Kaiser und die Kaiserin durch Helsa kommen würden und daß die Leipziger Straße frei und sauber zu halten sei, daß sich weiterhin die Kaiserin freuen würde, wenn die Helsaer Kinder zu ihrem Empfang ein Lied singen würden. Sofort wurden der Bürgermeister und der Kantor benachrichtigt und aufgefordert, diesem Wunsche nachzukommen. Der Kantor schickte die Kinder schnell nach Hause und ließ sie ihren Sonntagsstaat anziehen. Die beiden Lehrer warteten mit den Kindern beim Dorfeingang auf die Ankunft des Kaiserpaares. Da kam der Kronewirt mit größter Ruhe von Oberkaufungen die Landstraße herauf und tat ganz erstaunt, als er die Lehrer und die Kinder dort stehen sah. Unser Spaßvogel behauptete, er käme gerade von Oberkaufungen, wo man bekanntgegeben

hätte, daß die Durchfahrt abgesagt wäre. Er wundere sich, daß das in Helsa noch nicht geschehen wäre, und er sei sicher, daß sie nicht mehr auf den hohen Besuch zu warten brauchten. Als später bekannt wurde, wer sich diesen Scherz erlaubt hatte, lachte man sehr darüber und verzieh dem Kronewirt diesen Spaß.

MEISSNER

Durch die hessische Verwaltungsreform wurde aus sieben Orten am Fuße des Meißner, dem »König der hessischen Berge«, die 3900 Einwohner zählende Gemeinde Meißner gebildet. Sitz der Gemeindeverwaltung ist der Ortsteil Abterode. Germerode ist als Erholungsort staatlich anerkannt.
In Abterode errichtete Abt Ruthard von Fulda im Jahre 1077 ein Benediktinerkloster, das sich wegen andauernder Streitigkeiten mit den Grafen von Bilstein nicht wie erwartet entwickeln konnte und schließlich in eine mit der Ortspfarrei verbundene Propstei umgewandelt wurde. Um 1144 gründete Graf Rugger II. von Bilstein in Germerode ein Prämonstratenser-Doppelkloster, das durch Schenkungen und Ankauf umfangreichen Grundbesitz erwarb. Anfang des 13. Jh.s wurde es in ein Nonnenkloster umgewandelt und kam 1301 an die Landgrafen von Hessen. Während der Reformation wurde das Kloster 1527 aufgehoben.
Zahlreiche Märchen und Sagen sind um den Meißner entstanden. Der »Frau-Holle-Teich« gilt als das Eingangstor zum Reich der Frau Holle. Das Sagen- und Märchenhafte der bizarren Landschaft lassen erahnen: die »Seesteine«, eine Ansammlung von mächtigen Basaltbrocken; die »Kitzkammer«, eine Höhle mit schön geformtem Säulenbasalt; »Kalbe« (720 m) und »Wachtsteine« (740 m), von wo aus sich eine herrliche Aussicht in das Vorland des Meißner bietet; das Höllental sowie die Kasseler Kuppe, mit 754 m die höchste Erhebung des Meißner. Kunstgeschichtlich bedeutend ist die ehemalige romanische Klosterkirche im Ortsteil Germerode, eine dreischiffige, gewölbte Pfeilerbasilika mit wertvoller Orgel aus dem Jahre 1700 im Innern.

Sehenswert: Ehemaliges Prämonstratenserkloster in Germerode, das Massiv des Meißner mit »Frau-Holle-Teich«.
Freizeitmöglichkeiten: Reiten, Wandern, Skisport; Rodelbahn, Sprungschanze, Waldlehrpfad, Wildgehege.
Auskunft: Heimat- und Verkehrsverein Abterode – 3447 MEISSNER 1

Frau Holle

Eine Witwe hatte zwei Töchter, davon war die eine schön und fleißig, die andere häßlich und faul. Sie hatte aber die häßliche und faule, weil sie ihre rechte Tochter war, viel lieber, und die andere mußte alle Arbeit tun und der Aschenputtel im Hause sein. Das arme Mädchen mußte sich täglich auf die große Straße bei einem Brunnen setzen und mußte so viel spinnen, daß ihm das Blut aus den Fingern sprang. Nun trug es sich zu, daß die Spule einmal ganz blutig war, da bückte es sich damit in den Brunnen und wollte sie abwaschen: sie sprang ihm aber aus der Hand und fiel hinab. Es weinte, lief zur Stiefmutter und erzählte ihr das Unglück. Sie schalt es aber so heftig und war so unbarmherzig, daß sie sprach: »Hast du die Spule hinunterfallen lassen, so hol sie auch wieder herauf.« Da ging das Mädchen zu dem Brunnen zurück und wußte nicht, was es anfangen sollte, und in seiner Herzensangst sprang es in den Brunnen hinein, um die Spule zu holen. Es verlor die Besinnung, und als es erwachte und wieder zu sich selber kam, war es auf einer schönen Wiese, wo die Sonne schien und viel tausend Blumen standen. Auf dieser Wiese ging es fort und kam zu einem Backofen, der war voller Brot; das Brot aber rief: »Ach, zieh mich raus, zieh mich raus, sonst verbrenn ich: ich bin schon längst ausgebacken.« Da trat es herzu und holte mit dem Brotschieber alles nacheinander heraus. Danach ging es weiter und kam zu einem Baum, der hing voll Äpfel und rief ihm zu: »Ach schüttel mich, schüttel mich, wir Äpfel sind alle miteinander reif.« Da schüttelte es den Baum, daß die Äpfel fielen, als regneten sie, und schüttelte, bis keiner mehr oben war; und als es alle in einen Haufen zusammengelegt hatte, ging es wieder weiter. Endlich kam es zu einem kleinen Haus, daraus guckte eine alte Frau, weil sie aber so große Zähne hatte, ward ihm angst, und es wollte fortlaufen. Die alte Frau aber rief ihm nach: »Was fürchtest du dich, liebes Kind? Bleib bei mir, wenn du alle Arbeit im Hause ordentlich tun willst, so soll dir's gut gehn. Du mußt nur achtgeben, daß du mein Bett gut machst und es fleißig aufschüttelst, daß die Federn fliegen, dann schneit es in der Welt; ich bin die Frau Holle.« Weil die Alte ihm so gut zusprach, so faßte sich das Mädchen ein Herz, willigte ein und begab sich in ihren Dienst. Es besorgte auch alles nach ihrer Zufriedenheit und schüttelte ihr das Bett immer gewaltig, auf daß die Federn wie Schneeflocken umherflogen; dafür hatte es auch ein gut Leben bei ihr, kein böses Wort, und alle Tage Gesottenes und Gebratenes. Nun war es eine Zeitlang bei der Frau Holle, da ward es traurig und wußte anfangs selbst nicht, was ihm fehlte, endlich merkte es, daß es Heimweh war; ob es ihm hier gleichviel tausendmal besser ging als zu Haus, so hatte es doch ein Verlangen dahin. Endlich sagte es zu ihr: »Ich habe den Jammer nach Haus kriegt, und wenn es mir auch noch so gut hier unten geht, so kann ich doch nicht länger bleiben, ich muß wieder hinauf zu den Meinigen!« Die Frau Holle sagte: »Es gefällt mir, daß du wieder nach Haus verlangst, und weil du mir so treu gedient hast, so will ich dich selbst wieder hinaufbringen.« Sie nahm es darauf bei der Hand und führte es vor ein großes Tor. Das Tor ward aufgetan, und wie das Mädchen gerade darunter stand, fiel ein gewaltiger Goldregen, und alles Gold blieb an ihm hängen, so daß es über und über davon bedeckt war. »Das sollst du haben, weil du so fleißig gewesen bist«, sprach die Frau Holle und gab ihm auch die Spule wieder, die ihm in den Brunnen gefallen war. Darauf ward das Tor verschlossen, und das Mädchen befand sich oben auf der Welt, nicht weit von seiner Mutter Haus, und als es in den Hof kam, saß der Hahn auf dem Brunnen und rief:

»Kikeriki,
unsere goldene Jungfrau ist wieder hie.«

Da ging es hinein zu seiner Mutter, und weil es so mit Gold bedeckt ankam, ward es von ihr und der Schwester gut aufgenommen.
Das Mädchen erzählte alles, was ihm begegnet war, und als die Mutter hörte, wie es zu dem großen Reichtum gekommen war, wollte sie der andern häßlichen und faulen Tochter gerne dasselbe Glück verschaffen. Sie mußte sich an den Brunnen setzen und spinnen; und damit ihre Spule blutig ward, stach sie sich in die Finger und stieß sich die Hand in die Dornhecke. Dann warf sie die Spule in den Brunnen und sprang selber hinein. Sie kam, wie die andere, auf die schöne Wiese und ging auf demselben Pfade weiter. Als sie zu dem Backofen gelangte, schrie das Brot wieder: »Ach, zieh mich raus, zieh mich raus, sonst verbrenn ich, ich bin schon längst ausgebacken.« Die Faule aber antwortete: »Da hätt ich Lust, mich schmutzig zu machen«, und ging fort. Bald kam sie zu dem Apfelbaum, der rief: »Ach, schüttel mich, schüttel mich, wir Äpfel sind alle miteinander reif.« Sie antwortete aber: »Du kommst mir recht, es könnte mir einer auf den Kopf fallen«, und ging damit weiter. Als sie vor der Frau Holle Haus kam, fürchtete sie sich nicht, weil sie von ihren großen Zähnen schon gehört hatte, und verdingte sich gleich zu ihr. Am ersten Tag tat sie sich Gewalt an, war fleißig und folgte der Frau Holle, wenn sie ihr etwas sagte, denn sie dachte an das viele Gold, das sie ihr schenken würde; am zweiten Tag aber fing sie schon an zu faulenzen, am dritten noch mehr, da wollte sie morgens gar nicht aufstehen. Sie machte auch der Frau Holle das Bett nicht, wie sich's gebührte, und schüttelte es nicht, daß die Federn aufflogen. Das ward die Frau Holle bald müde und sagte ihr den Dienst auf. Die Faule war das wohl zufrieden und meinte, nun würde der Goldregen kommen; die Frau Holle führte sie auch zu dem Tor, als sie aber darunter stand, ward statt des Goldes ein großer Kessel voll Pech ausgeschüttet. »Das ist zur Belohnung deiner Dienste«, sagte die Frau Holle und schloß das Tor zu. Da kam die Faule heim, aber sie war ganz mit Pech bedeckt, und der Hahn auf dem Brunnen, als er sie sah, rief:

»Kikeriki,
unsere schmutzige Jungfrau ist wieder hie.«

Das Pech aber blieb fest an ihr hängen und wollte, so lange sie lebte, nicht abgehen.

ESCHWEGE

Die am linken Ufer der Werra gelegene Stadt Eschwege, unweit des Meißner, hat 25000 Einwohner.
Als fränkischer Königshof vermutlich 715–718 gegründet, kam Eschwege im 10. Jh. in den Besitz der sächsischen Könige. 974 schenkte Otto II. seiner Gemahlin Theophanu den Königshof »Eskiniwach«. 994 übergab ihn Otto III. seiner Schwester, der späteren Äbtissin Sophie von Gandersheim, die auf dem Gelände des alten Königshofes ein dem heiligen Cyriax geweihtes Kanonissenstift gründete. Mitte des 12. Jh.s erhielt Eschwege Stadtrechte und war bis Mitte des 13. Jh.s Freie Reichsstadt. Im 14.–15. Jh. stritten sich Thüringen und Hessen um den Besitz der Stadt, die im Laufe der Kämpfe mehrfach den Besitzer wechselte, bis Eschwege 1433 endgültig an Hessen kam.
Hoch über der Stadt erhebt sich das Landgrafenschloß aus der Renaissancezeit, das in den Jahren 1386–1389 als Burg der Landgrafen von Thüringen erbaut wurde. Hessische Landgrafen, namentlich Moritz der Gelehrte, gestalteten die Burg mehrfach um und erweiterten sie zum Schloß. Stündlich begrüßt heute die Figur des »Dietemann« (Symbol von Eschwege) von der Kunstuhr des Schlosses mit seinem Horn Bewohner und Gäste.
Der Marktplatz der Stadt wird von einer Reihe gut erhaltener Fachwerkhäuser umschlossen. Zwischen Ober- und Untermarkt erstreckt sich die Rathausgruppe, bestehend aus dem 1660 errichteten Alten Rathaus, einem dreigeschossigen Fachwerkbau mit Flachschnitzereien, sowie dem Neuen Rathaus, einem dreigeschossigen spätklassizistischen Steinbau von 1842/43. Vom Hochzeitshaus, einem um 1578 erstellten Renaissancebau, gelangt man zum schwarzen Turm, einem Überrest des einstigen Kanonissenstiftes St. Cyriax, von wo aus sich ein wunderschöner Rundblick auf die Werralandschaft bis hin zum hochgelegenen thüringischen Eichsfeld bietet. Die älteste Kirche der Stadt, die Marktkirche St. Dionys, ist eine dreischiffige spätgotische Hallenkirche. Ihr Westturm stammt aus der 2. Hälfte des 13. Jh.s. Die Pfarrkirche der Neustadt, St. Katharinen (15. Jh.), ist eine dreischiffige Hallenkirche mit weiträumiger Wirkung im Innern. Von der ehemaligen mittelalterlichen Kirche St. Nicolai steht noch der um 1455 erstellte Klausturm, der höchste Turm der Stadt; sein barocker Aufbau entstand im 18. Jh. Zeugen der ehemaligen Stadtbefestigung von Eschwege sind einige Mauerreste sowie der Dünzebacher Turm, ein gotischer Rundturm mit steilem Spitzhelm.

Sehenswert: Landgrafenschloß, Fachwerkhäuser, Hospital-Kapelle, Kirchen, Rathaus, Reste der Stadtbefestigung, Dünzebacher Turm.
Freizeitmöglichkeiten: Angeln, Boccia, Camping, Kutschfahrten, Reiten, Rudern, Segelfliegen, Segeln, Tennis, Wassersport, Wandern; Freibad, Hallenbad, Waldlehrpfad, Waldsportpfad, Wildpark.
Auskunft: Magistrat der Stadt Eschwege – 3440 ESCHWEGE

Die Wichtelmännchen und Schuster Jobst in Eschwege

Den Bösewichtern und Tagedieben suchten die Wichtelmännchen stets zu schaden, den guten und fleißigen Leuten halfen sie bei der Arbeit, und die Armen und Notleidenden versorgten sie mit Gold und Silber. In Eschwege haben sie auch einmal dem armen Schuster Jobst aus der Not geholfen. Der Schuster Jobst hatte keine Arbeit und verdiente nichts, und er und seine Familie mußten hungern. Eines Abends saß er wie sonst betrübt in seiner Werkstatt. Seine Frau und Kinder waren schon hungrig eingeschlafen. Jobst sah im Mondenschein ihre bleichen Gesichter und seufzte: Ach, könnte ich euch doch Brot schaffen! Er betete zu dem reichen Gott im Himmel und legte sich dann ebenfalls auf sein hartes Strohlager nieder. Aber vor Sorgen und Gedanken konnte er nicht einschlafen.

Gegen Mitternacht war es ihm, als hörte er leise Tritte in seinem Häuschen. Es trippelte und trappelte, und siehe, eine Gesellschaft von Wichtelmännchen zog in seine Stube. Sie machten sich frisch an das Leder. Der eine schnitt zu, der andere nähte, die Arbeit flog unter ihren Händen. In kurzer Zeit war alles Leder verarbeitet, und wunderschöne Schuhe standen auf dem Werkbrette. Jetzt konnte Jobst vor Freude nicht mehr einschlafen. Endlich kam der Morgen, und als es lebendig auf den Gassen wurde, blieben die Leute vor den schönen Schuhen stehen. Jeder kaufte, jeder bestellte neue Schuhe. Jobst kaufte Leder, und als Mitternacht kam, stellten sich die Wichtelmännchen wieder ein und arbeiteten wieder emsig darauf los, und als es Tag wurde, stand das Werkbrett wieder voll schöner neuer Schuhe. So ging es eine Zeitlang fort, und bald wurde Jobst berühmt. Jedermann wollte nur bei ihm kaufen, und Freude und Wohlstand kehrten in sein Haus ein.

Da wollte der dankbare Jobst auch seinen Wohltätern eine Freude machen. Er zählte die Wichtelmännchen, ließ schöne Kleider für sie bereiten und legte sie der Reihe nach hin. Wie freuten sich da die Wichtelmännchen! Sie schmückten sich gleich mit den Kleidern. Aber nun wurden sie auch stolz und wollten keine Schuhe mehr machen; zur Stunde verschwanden sie aus Jobsts Haus, ohne je wiederzukommen.

BAD SOODEN-ALLENDORF

Am Fuße des Ahrenberges liegt die 9500 Einwohner zählende Stadt Bad Sooden-Allendorf. Der Stadtteil Allendorf breitet sich am rechten Ufer der Werra aus, Sooden liegt links der Werra am Hang des Hegeberges.
Um die Salzquellen an der Werra kämpften schon 58 v. Chr. Chatten und Hermunduren. Auf dem rechten Werraufer entwickelte sich im 6. Jh. unter fränkischer Herrschaft der Salhof »Westera«, der zum Schutz der auf dem linken Werraufer liegenden Salzquellen angelegt worden war. 776 belehnte Karl der Große das Kloster Fulda mit dem Königshof und den Salzquellen, und 1202 erwarben die fuldischen Besitztümer die thüringischen Landgrafen, die um 1218 »zu dem alden dorf« bei Westera die Stadt Allendorf gründeten.
Bei den Salzquellen am linken Ufer der Werra entwickelte sich am Fuße einer frühmittelalterlichen Burg die Siedlung »in den Soden«. 1264 kamen Sooden und Allendorf an die Landgrafen von Hessen. Die lukrative Salzgewinnung erfolgte durch die Genossenschaft der Pfannenbesitzer (Pfännerschaft), die die Salzquellen 1540 an die hessischen Landgrafen verpachtete. Im Jahre 1929 wurden Sooden und Allendorf zu einer Stadt vereinigt.
Die Stadt Bad Sooden-Allendorf ist ein Kleinod hessisch-thüringischer Fachwerkkunst. Das sehr einheitliche Stadtbild von Allendorf ist weitgehend nach der fast vollständigen Zerstörung durch die Kroaten im Jahre 1637 entstanden. Nahezu geschlossen erhalten geblieben sind die Fachwerkfronten in der Schusterstraße, Akkerstraße, Weberstraße sowie in der Kirchstraße. Großartige Beispiele mittelalterlicher Fachwerkkunst sind das »Haus Bürger«, ein dreigeschossiger Fachwerkbau aus dem Jahre 1639, das in den Jahren 1642–1644 entstandene »Haus Eschstruth« und das »Haus Kraus« aus der 2. Hälfte des 17. Jh.s.
Nach einem Gang durch die malerischen Fachwerkgassen wurde Wilhelm Müller durch die vor dem Steintor stehende Linde zu seinem Lied »Am Brunnen vor dem Tore« inspiriert; in der Schubertschen Vertonung ging es um die ganze Welt. Im Inneren der Stadtkirche Hl. Kreuz mit ihrem hohen Glockenturm aus dem Jahre 1424 und der mehrstufigen Haube befinden sich ein barocker Altartisch und die prächtig dekorierte Kanzel von H. Erdinger (1684). Im Norden vor der Stadt liegt das 1363 erstmalig erwähnte Heiliggeisthospital, dessen gotische Kapelle mit wertvollen Wandmalereien aus dem 14. und 15. Jh. erhalten geblieben ist. Sehenswert im Stadtteil Sooden sind die im 17.–18. Jh. erneuerte Pfarrkirche St. Marien mit ihrer barokken Ausstattung, das einstige Salzamt aus dem Jahre 1782, die ehemalige »Pfennigstube« aus dem Jahre 1631, das malerische Söder Tor (1704–1705) sowie zahlreiche Fachwerkhäuser vom 17. bis 19. Jh.

Sehenswert: Fachwerkhäuser (darunter »Haus Bürger«), Kirchen Hl. Kreuz und St. Marien, Heiliggeisthospital, Söder Tor, Salzamt, Pfennigstube.
Freizeitmöglichkeiten: Angeln, Boccia, Freiluftschach, Minigolf, Reiten, Tennis, Wandern, Wassersport; Freibad, Hallenbad, Rodelbahn, Waldlehrpfad, Waldsportpfad, Wassertretstelle.
Auskunft: Städtische Kurverwaltung – 3437 Bad Sooden-Allendorf

Mädchen rettet eine Edelfrau mit einem spukenden Mönchsbild

Lange, nachdem die Dörfer zum Haine verlassen waren, dienten die beiden Kirchen derselben zu Wallfahrtsorten. Vielleicht sind sie erst zur Zeit der Reformation zugrunde gegangen. Die oberste Kirche, die in der Tiefe des Tales liegt, enthielt viele Bilder, darunter das lebensgroße eines alten Geistlichen, der dort auch oft umgehen sollte.

In dem eichsfeldischen Dorfe Volkerode saßen nun vor langen Jahren einmal Burschen und Mädchen beisammen und sprachen von Gespenstern, von Sich-Fürchten und dergleichen. Ein großes Mädchen rief: »Ich fürchte mich nicht.« – »Und doch holst du nicht das Bild des Abtes aus der obersten Kirche«, entgegnete man ihr. – »Was gilt die Wette?« entgegnete sie keck, »aber ihr müßt alle mitgehn bis auf den Eulenkopf, und wenn ich ihn habe und rufe, mir antworten und entgegenkommen.« – Die Wette wurde angenommen, und die Gesellschaft brach auf. Das mutige Mädchen stieg hinunter, erreichte glücklich die Kirche und trat in das Innere derselben, um beim Scheine des Mondes das Bild abzunehmen. Als sie solches vollbracht hatte, hörte sie plötzlich draußen Pferdegetrappel. Eilig trat sie an die Wand und stellte das Bild vor sich. Nach einiger Zeit trat ein Mann in vornehmer Tracht in die Kirche und führte ein junges Fräulein mit sich. – »Hier mußt du sterben!« sprach er zu ihr, »weiter nehme ich dich nicht mit.« – Das Fräulein fiel ihm zu Füßen und bat um sein Leben, allein es war vergebens. – »Hier kannst du beten, wie ich dir's versprochen habe, und dann ist es aus mit Dir, mach es kurz!« – Die Unglückliche rief Gott und die Heiligen um Beistand an, der Fremde aber höhnte sie deswegen noch aus. Da faßte das in der Kirche versteckte Bauernmädchen einen herzhaften Entschluß. Mit hohler Stimme rief es hinter dem Bilde: »Nun, wenn niemand dir helfen will, so will ich es doch tun.« – Gleichzeitig faßte die Dirne mit beiden Händen das Bild des alten Abtes und schritt auf den Räuber los. Dieser stieß einen gellenden Schrei aus und stürzte aus der Kirche nach seinem Rosse. Allein die Magd folgte ihm und stieß draußen jenen wilden Ruf aus, der den Waldbewohnern eigen ist und welchen sie »Schuchzer« nennen. Von der Höhe antworteten die Genossen, und der entsetzte Reiter versuchte sein Heil in schleunigster Flucht. Es fanden sich noch zwei Pferde angebunden, eins, welches das Fräulein getragen, und das andere reich beladen mit Schätzen. Die Dirne half der unbekannten Dame, welche im Anfange vor Schrecken sinnlos war, und kehrte mit ihr, den beiden Pferden und dem Heiligenbilde zurück. Das Fräulein war von dem Manne, der sie hatte töten wollen, ihren Eltern entführt worden, nachdem sie viele Kostbarkeiten mitgenommen. Sie blieb bei den Bauern, bis ihre Eltern sie zurückholten, und verließ sie dann unter Zurücklassung reicher Geschenke. Das Bild des Abtes aber wurde in der Kirche zu Volkerode aufgestellt, wo es noch lange Jahre zu sehen war.

WITZENHAUSEN

Die Ausläufer des Kaufunger Waldes und des Hohen Meißner schützen das Werratal bei Witzenhausen vor rauher Witterung und sind bestimmend für das milde Klima, in dem nahezu 150000 Kirschbäume prächtig gedeihen. Die Stadt Witzenhausen, am linken Ufer der Werra gelegen, hat mit ihren Stadtteilen 17000 Einwohner.
Ein fränkischer Salhof war Ausgangspunkt für die Entwicklung des Ortes, der seit 1180 als Reichslehen im Besitz der Landgrafen von Thüringen war. 1225 erhielt »Witczenhusin« unter Ludwig IV. von Thüringen Marktrechte und wurde Stadt. Im Jahre 1264 fiel Witzenhausen im Erbfolgekrieg zwischen Hessen und Thüringen an Heinrich I. von Hessen. 1627 kam die Stadt in den Besitz der landgräflichen Nebenlinie Hessen-Rotenburg und verblieb dort bis zu deren Aussterben im Jahre 1834.
Wer im Frühjahr nach Witzenhausen kommt, der findet die Hänge des Werratales in ein riesiges Blütenmeer verwandelt; wenn dann im Juli die Kirschen reifen, wird die »Kesperkirmes« (Kespern = Kirschen) gefeiert, Kirschsaft aus dem Marktbrunnen geschenkt und die Kirschenkönigin gewählt. Gut erhalten sind in Witzenhausen Teile der doppelten Stadtbefestigung aus dem 13./14. Jh. mit dem Diebesturm und dem Eulenturm. Nicht weit von der Stadtmauer liegt am Ufer der Werra das ehemalige Wilhelmitenkloster, heute Sitz der Organisationseinheit Internationale Agrarwirtschaft der Gesamthochschule Kassel. Besonders markant sind in Witzenhausens Altstadt die zahlreichen stattlichen Fachwerkbauten, wie das Deutsche Haus (1480); das Steinerne Haus (1584); das Gasthaus Zur Krone (um 1605); das Haus Ermschwerder Straße 4 (1579) und Ermschwerder Straße 17 (1511); die Häuser Nr. 4 (1606) und Nr. 5 (um 1600) am Markt; die malerische Liebfrauenkirche (14.–16. Jh.); die St.-Michaels-Kapelle (1392); das Rathaus und die Werrabrücke aus dem Jahre 1608. Zu Witzenhausen gehören auch die einige Kilometer entfernt gelegenen Burganlagen Schloß Berlepsch (16.–19. Jh.) und Ludwigstein (1415 durch Ludwig I. von Hessen als Grenzfeste erbaut; heute Jugendherberge).

Sehenswert: Fachwerkhäuser, ehem. Wilhelmitenkloster mit Refektorium, Stadtbefestigung mit Wehrtürmen, Liebfrauenkirche, St.-Michaels-Kapelle, Werrabrücke, Rathaus und Marktbrunnen »Kump«, Schloß Berlepsch, Jugendburg Ludwigstein.
Freizeitmöglichkeiten: Angeln, Camping, Minigolf, Reiten, Tennis, Wandern; Freibad, Hallenbad, Freilichtbühne, Tropengewächshaus, Völkerkundemuseum, Wald-Märchen-Zoo beim Stadtteil Ziegenhagen.
Auskunft: Städt. Verkehrsamt – 3430 WITZENHAUSEN

Auszug der Wichtel aus dem Burgberge bei Ermschwerd

Am linken Ufer der Werra, eine Stunde unterhalb Witzenhausen, liegt das Dorf Ermschwerd. Dort in dem Burgberge wohnte vor alten Zeiten ein Wichtelvölklein, das lange daselbst sein Wesen trieb. Endlich wurden sie es dort müde und beschlossen, in das Gebirge der Werra überzusiedeln. Eines Abends spät trat daher ein Abgesandter der Wichtelmänner zu dem Fährmann von Ermschwerd mit den Worten: »Halte deinen Kahn bereit, du sollst in dieser Nacht unserer viele über den Fluß setzen und auch guten Lohn dafür erhalten.«

Der Fährmann ging nach seinem Nachen und nahm die Ruderstange zur Hand. Um Mitternacht, da regte und bewegte es sich vom Burgberge her der Fähre zu, voran das Männlein, das den Schiffer bestellt hatte. »Halt das Schiff recht fest am Lande«, rief es ihm zu, »wir steigen jetzt ein.« Da geschah ein Rauschen und Flüstern vom Lande zum Schiffe heran und ein Trappeln und Drängen im Nachen und ein unruhiges Bewegen, so daß der Kahn tief in den Fluß hineinging. Aber der Fährmann sah niemand als das bewußte Männchen. »Ei«, rief er aus, »was fahre ich für wunderbare Leute!« Da sprang das Männchen zu ihm hin, machte mit Daumen und Zeigefinger einen Kreis und ließ den Schiffer hindurchsehen. Doch wie erstaunte dieser, als er jetzt sein Schiff ganz gedrängt voll kleiner Leute sah, schwer beladen mit Gepäck und zum Teil reitend auf kleinen Ziegen. Glücklich langte er am rechten Ufer an, und die Masse trappelte unruhig und einer den andern vorwärts schiebend zum Schiffe hinaus. Dem Fährmanne aber, der seinen Hut hinhielt, warf jeder etwas hinein.

Er fuhr zurück und freute sich, daß sein Hut recht schwer geworden war. Als er aber hineinblickte, um zu sehen, was er bekommen, da waren es lauter Kieselsteinchen. Unwillig schüttete er sie ins Wasser und erzählte zu Hause seiner Frau, was ihm begegnet war. Zugleich griff er in den Hut und fand noch zwei Steinchen darin. Wie er diese bei Lichte besieht, siehe, da, sind's Goldstücke. Er eilte zwar schnell an die Stelle, wo er die andern Steine ins Wasser geworfen hatte. Doch fand sich von ihnen keine Spur mehr.

FRIEDLAND

Die 7000 Einwohner zählende Gemeinde Friedland im Tal der Leine ist nach dem Zweiten Weltkrieg als Aufnahmelager für Heimkehrer, Vertriebene, Flüchtlinge und Aussiedler zu einer Begegnungsstätte des Friedens und der Versöhnung geworden. Schon bei der Gründung der Burg »Vrede-lant« im 13. Jh. durch die welfischen Herzöge kam durch die Namensgebung (befriede das Land) der Wunsch nach Frieden und Beendigung der Kämpfe, die nach dem Tode von Landgraf Heinrich Raspe von Hessen und Thüringen (1227–1247) aufgeflackert waren, zum Ausdruck. Die auf einem steil zur Leine abfallenden Sandsteinfelsen gelegene Burg Friedland der Braunschweiger Herzöge wuchs im 14. und 15. Jh. zu einer größeren Burganlage heran. Sie wurde nach innen durch einen hohen Wohnturm und nach außen durch eine Wallmauer mit Rondellen verstärkt. Im 30jährigen Krieg wurde die Burg zerstört und im Jahre 1743 die noch stehenden Mauern abgebrochen.
Von der einstigen Burg erhalten sind nur noch die Gräben und der ehemalige Amtshof, der gegen Ende des 18. Jh.s mit Steinmaterial der Burg erneuert wurde. Im Ortsteil Niedergandern ist die um 1713 entstandene Gutsanlage von Bodenhausen mit der würfelförmigen Gutskapelle und dem Gut Besenhausen erwähnenswert. Im Europäischen Brotmuseum Mollenfelde mit seinen weit über tausend Ausstellungsstücken (Backöfen, Trögen, Teigformen, dem prächtigen sizilianischen Bauernprunkwagen) wird die 5000jährige Geschichte des Brotes in Kunst, Kultur und Brauchtum gezeigt. Das Mahnmal in Friedland mit seinen flügelartigen Wandscheiben, die symbolisch vier nach allen Himmelsrichtungen geöffnete Lagertore darstellen, soll die Opfer der Kriege ehren und der Gegenwart Mahnung sein, Frieden und Freiheit für die Menschheit zu gewinnen und zu erhalten.

Sehenswert: Europäisches Brotmuseum, Friedlandgedächtnisstätte, Gutsanlage von Bodenhausen mit Gutskapelle.
Freizeitmöglichkeiten: Camping; Reiten, Wandern, Freibad.
Auskunft: Gemeinde Friedland – 3403 FRIEDLAND 1

Vom Werwolf

Ein Mann in Groß-Schneen stand im Verdacht, sich in einen Werwolf verwandeln zu können. Eines Abends begegnet dem Nachtwächter hinter der alten Schenke in einer schmalen Gasse ein Werwolf. Der Nachtwächter hält ihn anfangs für einen Hund und will ihn fortjagen; da kommt aber der Werwolf auf ihn zu und faßt ihn an. Indem er sich nun so mit diesem herumbalgt, fällt ihm ein, was er in seiner Lage zu tun habe. Er bemüht sich also, dem Werwolf mit seinem Stocke unter den Leib zu schlagen, wo diesem die Schnalle um den Gürtel sitzt. Es gelingt ihm auch, die Schnalle aufzuschlagen, und sogleich steht statt des Werwolfs jener Mann nackt vor ihm. Am andern Tage war der Mann, der sich in einen Werwolf verwandelt hatte, tot.

An einem Sommermorgen vor Tag und Tau geht eine Frau aus Groß-Schneen mit der Kiepe auf dem Rücken die alte Heerstraße nach Göttingen zu. Da kommt aus dem Tiefenbache in langen Sprüngen ein Werwolf, fällt die Frau an und verbeißt sich in ihrem roten Rock. Die entsetzte Frau hält das Untier für einen tollen Hund und gibt ihm einen Fußtritt unter den Bauch. Im gleichen Augenblick ist der Spuk spurlos verschwunden. Als in den Nachmittagsstunden die Frau nach Hause kommt, liegt ihr Mann nackend im Bett und ist tot. Rote Wollfäden hängen ihm zwischen den Zähnen.

An einem kalten Herbsttage, als der Nebel wie ein Schleier über der Erde lag, gingen drei Arbeiter in den Wald, um Reisig zu sammeln. Während der Frühstückszeit verschwand der eine, ging zu der nahen Weide auf dem Dreisch und verzehrte ein Fuchsfohlen; nur der Schwanz, das Fell und die Knochen ließ er übrig, sie lagen alle auf einem Haufen. Der verkleidete Werwolf ging in den Wald und wollte sich schlafen legen. Dabei fiel er auf die Schnalle des Koppels, sie ging auf, und der Werwolf war ein Mensch wie alle andern auch. Am andern Morgen starb er.

GLEICHEN

Die Gemeinde Gleichen wurde im Rahmen der niedersächsischen Gebiets- und Verwaltungsreform im Jahre 1973 aus 16 Orten gebildet. Die im Natur- und Landschaftsschutzgebiet des Bremker- und Gartetales gelegene 8700 Einwohner zählende Gemeinde Gleichen leitet ihren Namen von den südöstlich von Göttingen gelegenen rund 430 m hohen Zwillingsbergen Alten- und Neuengleichen ab.
Das sächsische Grafengeschlecht der Esikonen, die Grafen von Reinhausen, gründeten im Jahre 1085 in Reinhausen ein Chorherrenstift, welches sie dem heiligen Christophorus weihten. Das Stift wurde mit umfangreichen Besitzungen, unter anderem auch den beiden Gleichen-Bergen mit ihren Burgen ausgestattet. Nach der Ermordung des Grafen von Reinhausen wurde das Chorherrenstift in eine Benediktinerabtei umgewandelt. Das Erbe fiel an die Grafen von Winzenburg und nach deren Aussterben im Jahre 1152 an Herzog Heinrich den Löwen. Dessen Nachfolger verlehnten die Gleichen-Burgen mit umfangreichem Besitztum Ende des 13. Jh.s an die Herren von Uslar, die sich 1318 in die Linien Alten- und Neuengleichen spalteten, wodurch wegen der verwickelten Besitzverhältnisse viel Streit entstand. Die Linie Neuengleichen verkaufte 1451 die gleichnamige Burg mit drei Dörfern an die Landgrafen von Hessen, und erst im Jahre 1816 fiel das Amt Neuengleichen durch Tausch an das Königreich Hannover zurück.
Auf einem hohen Sandsteinfelsen über dem Ortsteil Reinhausen liegt die dreischiffige Pfarrkirche, die aus Resten der als Pfeilerbasilika ausgeführten Abteikirche des 12. Jh.s besteht. Am südlichen Seitenschiff ist noch ein romanisches Säulenportal erhalten; an der östlichen Chorwand ist ein Tympanon mit Löwenrelief eingemauert. Im Innern der Kirche verdienen der 1498 entstandene spätgotische Flügelaltar und der Jodocusschrein von 1507, ein bedeutendes Werk des Epiphaniusmeisters in Hildesheim, besondere Beachtung. Von den beiden im 30jährigen Krieg zerstörten Gleichen-Burgen stehen noch Teile der ehemaligen Umfassungsmauern. Aus dem 18. Jh. stammen die hübschen Kirchen in den Ortsteilen Diemarden (St.-Michaelis-Kirche mit mittelalterlichem Westturm) und Bischhausen (St.-Martini-Kirche mit spätgotischem Schnitzaltar). Eine besondere Attraktion im Ortsteil Bremke ist die romantische Brüder-Grimm-Waldbühne, auf der in den Sommermonaten vom Ensemble des Göttinger Volkstheaters Märchen der Brüder Grimm aufgeführt werden.

Sehenswert: Burgruine Alten- und Neuengleichen, Sandsteinfelsen in Reinhausen mit Runen oder Radkreuzen, Kirchen, Märchenfestspiele auf der Brüder-Grimm-Waldbühne in Bremke.
Auskunft: Gemeinde Gleichen – 3401 Reinhausen

Die Gleichen

Auf den beiden Gleichen haben einmal zwei feindliche Brüder gelebt, die stets miteinander in Fehde lagen. Auf dem Platze unter den Gleichen, welcher Kriegplatz oder Kriegholz heißt und jetzt den Reinhäusern gehört, haben sie miteinander gekämpft. Wollte der eine Bruder seinen Freund auf der Burg Niedeck besuchen, so ließ er seinem Pferde die Hufeisen verkehrt unterschlagen, damit der andere nicht wissen sollte, ob er weggeritten oder wieder nach Hause gekommen sei. Einst wollte der Ritter, welcher auf der nach Gelliehausen hin gelegenen Burg wohnte, ausreiten; weil er aber etwas vergessen hatte, kehrte er wieder um, es zu holen. Sein Bruder, der ihn bemerkt hatte, stand schon auf der Lauer und schoß nach ihm mit einer Pistole, traf ihn aber nicht. Zuletzt forderten sich die Brüder zu einem Zweikampfe heraus. Zu dem Ende stellte sich jeder in das Tor seiner Burg, und beide schossen gleichzeitig aufeinander. Beide wurden getroffen und blieben tot auf dem Platze.

In dem Reinhäuser Walde, etwa eine halbe Stunde von dem Dorfe Reinhausen, liegt das Klaustal. Oben am Ende desselben steht der sogenannte Hurkuzstein, ein Felsen, worin eine stubenhohe Höhle ausgehauen ist. Dieser Felsen hat seinen Namen von einem Einsiedler namens Hurkuz, der darin lebte und starb. Früher hatte er auf den Gleichen gelebt und hier einst von dem Burgherrn den Auftrag erhalten, ein Kind umzubringen und dasselbe auch wirklich ausgesetzt, so daß er es tot glaubte. Später ergriff ihn die Reue über diese Tat; er verließ die Gleichen und siedelte sich in dem Klaustale an, wo er sich in dem Felsen, von wo aus er gerade auf die Gleichen sehen konnte, diese Höhle ausgehauen hat. Lange Jahre lebte er hier, tat Buße und kasteite sich bis zum Ende seines Lebens. Auch sein Grab hatte er selbst im Felsen ausgehauen und legte sich, als er den Tod nahe fühlte, hinein und starb.

EBERGÖTZEN

Die 1700 Einwohner zählende Wilhelm-Busch-Gemeinde Ebergötzen im Auetal ist Verwaltungssitz der Samtgemeinde Radolfshausen.
Das Amt Radolfshausen mit den Dörfern Ebergötzen, Landolfshausen und Falkenhagen war altes welfisches Lehen in der Hand der Herzöge von Grubenhagen, von denen die Edelherren von Plesse im 14. Jh. das Amt erwarben. Zur Sicherung des Lehens ließen die Edelherren im Jahre 1508 eine Wasserburg bauen, dessen dreistökkiger Wohnturm heute noch steht. Nach dem Aussterben der Edelherren von Plesse im 16. Jh. wollten die Landgrafen von Hessen außer der heimgefallenen Herrschaft Plesse auch das Amt Radolfshausen für sich einziehen, doch scheiterten sie am Einspruch der Welfenherzöge.
An die enge historische Verflechtung von Radolfshausen und Ebergötzen erinnert die alte Herrenmühle des Amtes Radolfshausen in Ebergötzen, die als Wilhelm-Busch-Mühle weitbekannt ist. Als Neunjähriger kam Wilhelm Busch in das Dorf Ebergötzen, wo er von 1841 bis 1846 im Pfarrhaus bei seinem Onkel Pastor Kleine wohnte. Eine innige, lebenslange Freundschaft verband Wilhelm Busch mit dem Sohn des Müllers in der Herrenmühle, die er alljährlich besuchte und wo er beim »Rumpumpeln des Mühlwerkes und dem Rauschen des Wassers« immer gut einschlief. Hinter der Mühle in Ebergötzen »fiel Schneider Böck ins Wasser«, und im Dorf heckten Max und Moritz ihre Streiche aus.

Sehenswert: Wilhelm-Busch-Mühle, Pfarrhaus, ehemaliger Amtshof Radolfshausen.
Auskunft: Samtgemeinde Radolfshausen – 3401 EBERGÖTZEN

Schneider Böck fällt ins Wasser

Jedermann im Dorfe kannte
Einen, der sich Böck benannte.
Alltagsröcke, Sonntagsröcke,
Lange Hosen, spitze Fräcke,
Westen mit bequemen Taschen,
Warme Mäntel und Gamaschen,
Alle diese Kleidungssachen
Wußte Schneider Böck zu machen.
Oder wäre was zu flicken,
Abzuschneiden, anzustücken,
Oder gar ein Knopf der Hose
Abgerissen oder lose,
Wie und wo und wann es sei,
Hinten, vorne, einerlei,
Alles macht der Meister Böck,
Denn das ist sein Lebenszweck.
D'rum so hat in der Gemeinde
Jedermann ihn gern zum Freunde.
Aber Max und Moritz dachten,
Wie sie ihn verdrießlich machten.

Nämlich vor des Meisters Hause
Floß ein Wasser mit Gebrause.
Übers Wasser führt ein Steg
Und darüber geht der Weg.
Max und Moritz, gar nicht träge,
Sägen heimlich mit der Säge,
Ritzeratze! voller Tücke,
In die Brücke eine Lücke.
Als nun diese Tat vorbei,
Hört man plötzlich ein Geschrei:
»He heraus! Du Ziegen-Böck!
Schneider, Schneider, mek mek mek!«
Alles konnte Böck ertragen,
Ohne nur ein Wort zu sagen;
Aber, wenn er dies erfuhr,
Ging's ihm wider die Natur.
Schnelle springt er mit der Elle
Über seines Hauses Schwelle;

Denn schon wieder ihm zum Schreck
Tönt ein lautes: »Mek mek mek!!«
Und schon ist er auf der Brücke,
Kracks! Die Brücke bricht in Stücke;
Wieder tönt es: »Mek, mek, mek!«
Plums! Da ist der Schneider weg!
Grad' als dieses vorgekommen,
Kommt ein Gänsepaar geschwommen,
Welches Böck in Todeshast
Krampfhaft bei den Beinen faßt.
Beide Gänse in der Hand,
Flattert er auf trocknes Land.
Übrigens bei alle dem
Ist so etwas nicht bequem;
Wie denn Böck von der Geschichte
Auch das Magendrücken kriegte.
Hoch ist hier Frau Böck zu preisen!
Denn ein heißes Bügeleisen,
Auf den kalten Leib gebracht,
Hat es wieder gut gemacht.
Bald im Dorf hinauf, hinunter,
Hieß es: »Böck ist wieder munter!«

GÖTTINGEN

Die 125000 Einwohner zählende Universitätsstadt Göttingen liegt von bewaldeten Höhen umgeben im Tal der Leine. An der berühmten, 1737 durch Kurfürst Georg August von Hannover eröffneten Universität, in der zum ersten Mal die Freiheit von Forschung und Lehre uneingeschränkt verwirklicht wurde, lehrten und forschten die Brüder Jacob und Wilhelm Grimm von 1829 bis 1837.
An einer Furt durch die Leine kreuzten sich die im Mittelalter bedeutenden Handelsstraßen »Hellweg« und »Königsstraße«. Den westlichen Ausgang dieser Furt beherrschte auf dem Hagenberg die mächtige Pfalz »Grona«, die bereits 915 als Burg erwähnt wurde und Ort zahlreicher Hof- und Reichstage war. An der östlichen Seite der Furt auf dem Bühl entstand die Siedlung »Gutingi«, die urkundlich erstmalig 953 genannt wurde. Unterhalb des alten Dorfes »Gutingi« entwickelte sich eine Marktsiedlung, die um 1211/12 Stadtrechte erhielt und Ende des 13. Jh.s von Stadtmauern umgeben war. Der Grundrißgestaltung nach wurde Göttingen wahrscheinlich in der Zeit Heinrich des Löwens mit der Weender Straße als Hauptachse planmäßig angelegt. Die Stadt erstarkte schnell, und ihre Bewohner zerstörten 1294 die Königspfalz »Grona«. Durch die günstige Verkehrslage blühte das von 1351 bis 1571 zur Hanse gehörende Göttingen rasch auf. Den durch den 30jährigen Krieg bedingten schweren Rückschlägen folgte mit der Gründung der Georg-August-Universität Anfang des 18. Jh.s ein erneuter Aufstieg.
Die älteste Kirche der Stadt, die St.-Albani-Kirche, soll von Bonifatius errichtet worden sein. Das jetzige Gotteshaus, eine dreischiffige Hallenkirche mit den Tafelbildern des ehemaligen Hochaltars von H. v. Geismar aus dem Jahre 1499 im Innern, wurde um 1423 erbaut.
Die baugeschichtlich bedeutendste Kirche Göttingens ist die im 14. Jh. begonnene und 1433 fertiggestellte St.-Jakobi-Kirche. Der 74 m hohe Turm läßt an den beiden reichverzierten Stockwerken die Prager »Parlerschule« erkennen. Eindrucksvoll im Innern ist der große Doppelflügel-Schnitzaltar (1402), ein bedeutendes Beispiel spätmittelalterlicher Kirchenkunst in Norddeutschland. Die St.-Johannis-Kirche mit ihrer wirkungsvollen Westfassade und dem von einem älteren Bau stammenden Rundbogen-Nordportal wurde im wesentlichen im 14. Jh. ausgeführt. Die ursprünglich einschiffige St.-Marien-Kirche wurde 1318 dem Deutschen Ritterorden überlassen und die Erweiterung zur dreischiffigen Hallenkirche um 1500 abgeschlossen. Vom prächtigen Wandelaltar des Göttinger Meisters B. Kastrop von 1524 sind einzelne Teile im Innern der St.-Marien-Kirche aufgestellt. In die 1331 geweihte Paulinerkirche des ehemaligen Dominikanerklosters zog 1737 die Universität ein; 1809 erfolgte die Umgestaltung der Kirche zur Universitätsbibliothek. In der Innenstadt sind zahlreiche schöne Fachwerkbauten aus dem 16.–19. Jh. erhalten, so in der Barfüßerstraße die Junkernschänke (1547–1549), das Haus des Abel Bornemann (1536) mit Utlucht und am Ritterplan das Städtische Museum (1592). Das Rathaus der Stadt Göttingen am Markt wurde in mehreren Bauabschnitten zwischen 1369 und 1443 als Erweiterung eines älteren, wesentlich kleineren Vorgängerbaues errichtet. Von besonderem architektonischem Reiz ist die Rathauslaube, in der eine flache Steinplattendecke mit hängenden Kreuzrippen verbunden ist. Der Christuskopf auf dem Schlußstein und die das Rippensystem tragenden Konsolen zeigen Einflüsse der Prager Parlerhütte. Im Innern verdienen die Rathaushalle mit der von Holzpfeilern

getragenen Balkendecke (1401) und der Ratskeller besondere Beachtung. Vor dem Rathaus steht der Marktbrunnen mit der Bronzestatue des Gänseliesel, das nach altem Brauch von jedem Studenten nach bestandenem Doktorexamen einen Dankeskuß erhält. Etwa 8 km nördlich von Göttingen liegt die Burgruine Plesse. Von der Burg, die Anfang des 11. Jh.s im Besitz des Bischofs Meinwerk von Paderborn war und im 12. Jh. an das Dynastengeschlecht von Plesse kam, sind große Teile der Wehrmauer sowie der 23 m hohe Bergfried und der schlanke Wartturm erhalten.

Sehenswert: St.-Albani-Kirche, St.-Jakobi-Kirche mit Doppelflügelaltar, St.-Johannis-Kirche, St.-Marien-Kirche, Rathaus, Gänselieselbrunnen, Fachwerk-Bürgerhäuser, Burg Plesse.
Freizeitmöglichkeiten: Angeln, Bootfahren, Minigolf, Reiten, Schießsport, Segelfliegen, Tennis, Wandern; Freibad, Hallenbad, Trimm-dich-Pfad, Waldlehrpfad, Wildgehege.
Auskunft: Städtisches Fremdenverkehrsamt – 3400 Göttingen

Das stille Volk zu Plesse

Tief unterm Boden des Burgberges der Plesse wohnt ein stilles Zwergenvolk, hilfreich und guttätig den Menschen, das sich unsichtbar zu machen vermag und durch jede verschlossene Türe, durch jede Mauer wandelt, so es ihm beliebt. Bei dem tiefen Felsbrunnen ist der Haupteingang in des stillen Volkes unterirdisches Reich. Wie die Herren Studenten zu Göttingen gar gern die Burgruinen der beiden Gleichen und die absonderlich schöne und anmutige der Plesse besuchen, so tat auch ein Göttinger Student im Jahre 1743. Er hatte ein Buch mitgebracht, und da er sich auf dem von lieblichen Schatten malerischer Bäume umspielten Burgplatz allein fand, legte er sich auf den Rasen und las. Ein süßer Geruch, wie von Waldmeister, Maienglöckchen und Flieder, schläferte ihn ein. Lange schlief er, bis ein Donnerschlag und strömender Regen ihn weckten. Dunkel war es um ihn her, nur Blitze beleuchteten mit fahlem Schein die verwitternden Trümmer. Der Student betete, denn damals pflegten die Studenten noch zu beten, jetzt werden's wohl nur noch wenige tun – da kam ein Licht auf ihn zu. Ein kleines altes Männchen mit eisgrauem Bart trug's und hieß jenem ihm folgen. Das Männlein führte den Jüngling zum Brunnen, in welchem ein Brettergerüst stand, darauf traten beide, und jetzt ging es wie auf der schönsten Versenkung eines Theaters sanft zur Tiefe, bis auf den Wasserspiegel. Da wölbte sich eine Grotte, in der es trocken und reinlich war. Da sagte das Männlein: »Es steht dir nun frei, hier im Trocknen zu verharren, bis droben das Unwetter vorüber, oder mir in das Reich der Unterirdischen zu folgen.« Der Student erklärte, letzteres wählen zu wollen, wenn keine Gefahr ihm drohe. – Darüber beruhigte ihn das alte eisgraue Männlein, und so folgte er ihm gleich einem Führer durch einen gar niedern und engen Gang, der für das Männlein just hoch und weit genug war, aber für den Bruder Studio nichts weniger als bequem, so daß ihm ganz schlecht wurde. Endlich traten beide aus dem Gange und sahen vor sich eine

weite Landschaft, durch die ein rauschender Bach floß, mit Dörfern aus lauter kleinen Häusern, wie die chinesischen, und ganz kunterbunt bemalt, wie die Wachtelhäuser. In das schönste dieser Häuschen traten sie ein, und darin war des eisgrauen Männleins werte Familie, welcher der Student der Theologie aus Göttingen vorgestellt wurde. Hierauf grüßten ihn die Anwesenden mit einer stillen Verbeugung. Dann stellte das Männlein dem Studenten die werte Familie vor, seinen Vater, das war aber ein ganz schneefarbiger Greis, und ebenso seine Mutter, beide waren so alt, daß sie nur noch auf Stühlen sitzen, nicht mehr stehen und gehen konnten; dann seinen Großvater und seine Großmutter, die hatten beide kein Härlein mehr auf ihrem Kopf und kein Fleisch mehr auf ihren Knochen und konnten bloß liegen, dann des Männleins

Frau, auch schon aus den zwanzigen und etwa in den sechzigen, und ihre Kindlein von dreißig bis vierzig Jährchen und die kleinen Enkelchen etwa von vierzehn bis fünfzehn Jahren. Dann sprach der Großvater einige Worte des Grußes, der Gast aus der Oberwelt möge sich nur umsehen und ohne Furcht sein. Dann kam die jüngste Tochter, die war nur eines Schuhes hoch, doch dreizehn Jahre alt, und sagte: »Es ist angerichtet.« Das hörte der Student gern, daß die stillen Leutchen auch anrichteten. Und die Tafel war königlich, was die Geräte, Tafeltücher von Asbest gewebt, Teller und Löffel von Gold, Messer und Gabeln von Silber und dergleichen betraf. Das Essen war und schmeckte gut, und was das Trinken anlangte, so dünkte dem Studenten, er trinke den köstlichsten Wein, die Zwerglein aber behaupteten, es sei nur Wasser. Nach Tische erzählte der uralte Vater dem Studenten viel von der Einrichtung des unterirdischen Reiches. Ihm und den Seinen als geborenen Herrn desselben gehorche alles willig und gern. Landstände habe das Land keine, und er als Regent halte auch keine Minister – die einen seien so teuer und so unnütz wie die andern. Es gebe in diesem stillen Reiche nur Friede, Zufriedenheit und Wohlwollen. Ein jeder tue ungeheißen seine Pflicht. Es gebe keine Zwiste, keine Kriege, keine sogenannte Politik. Man kenne hier unten keine Wühler als die Maulwürfe und Reitmäuse, und die stammten nicht aus dem unterirdischen Reiche. – Wie der Alte noch redete, erscholl ein Zeichen von einem stark geblasenen Horne; das Zeichen zum Gebet. Alles faltete die Hände und fiel auf die Knie und betete still und leise. Der Abend brach an, und es kamen Lichter auf großen silbernen Armleuchtern, und man ging in ein anderes Zimmer. – Alles, was er bis jetzt gesehen, gehört und wahrgenommen, reizte gar sehr die Wiß- und Neubegier des Studenten. Er dachte, es müsse nicht übel spekuliert sein, über diesen so wohlgeordneten Staat unter dem althessischen Boden eine Reisebeschreibung zu verfassen und herauszugeben, wie weiland Nils Klimm getan, zu Nutz und Frommen der Oberwelt, und wollte schon beginnen, sich Bemerkungen in seine Brieftasche zu machen. Aber das alte Männlein hinderte ihn daran und sagte: »Laß das! Ihr da oben lernt doch nicht, glücklich zu sein; ihr versteht das Befehlen so schlecht wie das Gehorchen. Ziehe hin und fürchte Gott, ehre den Herrscher und die Gesetze und scheue niemand!« – Der Studiosus fand es sonderbar, daß man die Gäste, die man erst eingeladen, gehen heiße, mußte sich aber fügen. Er empfing noch einige Gaben mit auf den Weg und fand sich unversehens wieder oberhalb des Brunnens auf der Plesse. Der Morgen war prächtig angebrochen, und der Burgwald erschallte von Vogelstimmen. Der Studiosus besah die Gaben und befand, daß es Gold und Edelsteine waren, von hohem Wert. Er hatte, wenn er diesen Reichtum gut und vernünftig anwandte, genug für sein ganzes Leben.

DRANSFELD

Die 3500 Einwohner zählende Stadt Dransfeld im Leinebergland liegt etwa 300 m hoch in einer von waldigen Höhen umrahmten Mulde an der ehemaligen Heerstraße zwischen Göttingen und Hann. Münden.
Dransfeld ist als Siedlung um die im 8. Jh. von Abt Sturmius von Fulda als Missionsstützpunkt gegründeten Kirche Sankt Martin entstanden. Der Ort wurde erstmals in einer von Otto dem Großen gesiegelten Urkunde aus dem Jahre 960 erwähnt. Im 12. Jh. war Dransfeld Sitz eines Erzpriesters und gehörte zum Erzbistum Mainz. Gewaltige Brände verwüsteten Dransfeld, das um 1305 Stadtrechte erhielt, in den Jahren 1374, 1634 und 1834 schwer. 1529 erwarb die Stadt Dransfeld den Hohen Hagen, einen 508 m hohen Basaltberg, vom Nonnenkloster Hilwartshausen bei Hann. Münden.
Von der mittelalterlichen Dransfelder Stadtbefestigung ist der runde Pulverturm erhalten. Die Kirche St. Martin, deren Westturm im Unterbau auf die einstige Missionskirche zurückgeht, wurde nach dem letzten großen Brand als rechteckiger, klassizistischer Bruchsteinbau im Jahre 1841 neu errichtet. In den umliegenden Wäldern zeugen zahlreiche Hügelgräber von vergangenen Kulturepochen, wie die Hünenburg, eine frühgeschichtliche Wehranlage, die bei Grabungen in neuerer Zeit teilweise freigelegt wurde, und die Altarsteine auf dem Hengelsberg, ein 10 000 Jahre alter Werkplatz der Rentierjäger. Auf dem Hohen Hagen führte der Göttinger Mathematiker Karl Friedrich Gauß (1777–1855) im Jahre 1821 seine bedeutenden geodätischen Messungen durch. An den Gelehrten erinnert der 51 m hohe Gaußturm, ein Aussichtsturm, von dem aus sich ein herrlicher Rundblick auf das gesamte mitteldeutsche Waldgebirge zwischen Teutoburger Wald und Thüringer Wald bietet.

Sehenswert: Missionskirche Sankt Martin, Pulverturm, frühgeschichtliche Hügelgräber, Gaußturm.
Freizeitmöglichkeiten: Camping, Minigolf, Tennis, Wandern, Wintersport; Freibad, Forstlehrpfad, Trimm-dich-Pfad.
Auskunft: Stadt Dransfeld – Fremdenverkehrsbüro – 3402 Dransfeld

Die Dransfelder »Hasenmelker«

Im Mittelalter war einmal ein Welfenherzog mit seiner Streitmacht von Münden ausgezogen und dachte die Göttinger zu züchtigen, weil sie ihm den Zoll verweigert hatten. Die Göttinger aber fielen mit ihrer ganzen Wehrkraft aus, überwanden den Herzog in offener Feldschlacht und verfolgten ihn bis vor Dransfeld. Da aber machten die dem Herzog treu ergebenen Dransfelder einen Ausfall, bald war unter Führung des Herzogs die Schlacht wiederhergestellt, und aus den Siegern wurden nun Besiegte. Die Göttinger mußten sich um das Hasenbanner scharen und wurden mit großem Verlust bis unter die Tore ihrer Stadt zurückgeworfen.

So wurde der Herzog durch die Tapferkeit der Dransfelder des Tages froh und verlieh ihnen mancherlei Freiheiten, darunter auch das Jagdrecht. Über dies Jagdrecht freuten sich die Dransfelder am meisten und stellten bald eine große Jagd auf dem Hohen Hagen an. Da aber die guten Leute nichts von der Jagd verstanden und in ihrem Leben noch kein Stück Wild, ja nicht einmal – so behaupteten wenigstens die Göttinger – einen Hasen gesehen hatten, so hielten sie eine auf dem Hohen Hagen weidende Eselin für einen Hasen und legten hocherfreut ihre Flitzbogen an, um das Wild zu erlegen. Als sich aber das Wild sehr zahm zeigte, dachten sie es lebendig zu fangen, was auch ohne Widerstand von seiten des »Hasen« gelang. Hocherfreut lagerten sich jetzt die Jäger um den eingefangenen Langohr, und als einer bemerkte, der Hase habe ein volles Euter, machten sie sich daran, ihn zu melken, und taten sich gütlich an der noch nie gekosteten Hasenmilch. Kaum war indes das Geschichtchen den Göttingern hinterbracht, als die Dransfelder auch ihren Spitznamen weghatten und noch bis auf den heutigen Tag die »Hasenmelker« heißen.

HANN. MÜNDEN-HEMELN

Auf dem rechten Ufer der Weser liegt am Rande des Bramwaldes die Gemeinde Hemeln, heute ein Stadtteil von Hann. Münden. Zusammen mit seinen Ortsteilen Bursfelde und Glashütte hat Hemeln ca. 1000 Einwohner.
Hemeln wurde im Jahre 834 erstmalig erwähnt, als Kaiser Ludwig der Fromme dem Kloster Corvey in einer Schenkungsurkunde den Ort »Hemlion« übertrug. 1063 ließ Graf Otto von Northeim auf einer steil zur Weser abfallenden Bergnase des Bramwaldes die Bramburg errichten, die sein Sohn Heinrich der Dicke zum Schutz des 1093 gegründeten Klosters Bursfelde ausbaute. Im Kampf um die Vorherrschaft im Oberweserraum zwischen geistlicher und weltlicher Macht am Ausgang des Mittelalters gewannen allmählich die Landgrafen von Hessen und die Herzöge von Braunschweig die Oberhand.
An der Mündung des Niemebaches in die Weser legte Graf Heinrich der Dicke im Jahre 1093 das Benediktinerkloster Bursfelde an. Heinrich, der 1102 auf einem Kriegszug gegen die Friesen fiel und in Bursfelde beigesetzt wurde, gewährte dem rasch aufblühenden Kloster das Recht zur freien Abtswahl und erwirkte von Kaiser Heinrich IV. Markt- und Münzrechte. Bekannt wurde das Benediktinerkloster durch die »Bursfelder Kongregation« von 1446, der sich 180 Klöster anschlossen, eine Reformbewegung, die jegliches Privateigentum verbannte und die Klausur wieder einführte. Ende des 16. Jh.s wurde in Bursfelde die Reformation eingeführt und 1589 das Kloster aufgehoben.
Bauherr der Hemelner Kirche St. Marien mit ihrem wuchtigen romanischen Westturm aus dem 11. Jh. war vermutlich das Kloster Corvey. Die im 30jährigen Krieg abgebrannte Fachwerkkirche wurde 1631 neu errichtet. In ihrem Innern sind der Kanzelaltar und die Orgel von S. Heeren aus Gottsbüren (um 1820) sehenswert. Im Ort befinden sich zahlreiche gepflegte Fachwerkhäuser mit schönen Hausinschriften. Besonders hervorzuheben ist das Forstamt Bramwald, ein prächtiger Fachwerkbau, der um 1700 von dem Schiffsbauer J. Kellner errichtet wurde. Von der 1458 durch Landgraf Wilhelm von Thüringen zerstörten und ausgebrannten Bramburg hoch über der Weser, von der sich ein herrlicher Blick in das Tal der oberen Weser bietet, steht noch der 34 m hohe, mächtige Bergfried. Von den einstigen Klosteranlagen in Bursfelde ist die dreischiffige, ehemalige Benediktiner-Abteikirche St. Thomas und St. Nikolaus erhalten. Im Hauptraum der Klosterkirche befinden sich spätgotische Wandmalereien (1957–1959 restauriert) mit monumental gestalteten Heiligen und ornamentalen Feldern. Der Sarkophag des Klostergründers mit spätgotischer Deckplatte und Inschrift ist im südlichen Nebenchor zu sehen.

Sehenswert: Kirche St. Marien, Fachwerkhäuser, Ruine Bramburg, Klosterkirche Bursfelde.
Freizeitmöglichkeiten: Angeln, Camping, Dampferfahrten, Kutschfahrten, Laienspielaufführungen, Paddeln, Wandern.
Auskunft: Verkehrsverein Hemeln – 3510 Hann. Münden 11

Die drei Rehe

Aus dem Walde, an dessen Ende die Trümmer der Bramburg hart an der Weser liegen, sahen schon viele um Mitternacht drei herrliche Rehe herauskommen, dem Strome zuschreiten, eins nach dem andern in die Fluten tauchen und schnurgerade durchschwimmen. Dann verschwanden sie dem folgenden Auge in der Richtung nach der Sababurg. – Einst hatte ein Forstgehilfe aus einem benachbarten Orte sich vorgenommen, womöglich eins von den drei Rehen zu erlegen. Er begab sich also in der Nacht in die Nähe der Bramburg, wo auch die Rehe zur gewohnten Zeit erschienen. Aber in dem Augenblicke, wo er schießen wollte, stand der Hahn der Flinte unbeweglich fest, er konnte den Finger nicht krümmen und versank in eine Art Betäubung. Er sah noch die Rehe dicht bei sich vorbeikommen, und es war ihm, als ob ihre Gestalten in einen lichten Dunst über ihnen verschwämmen und als ob dieser drei Fräulein von wunderbarer Schönheit einhüllte, in deren Anblick er sich ganz verlor. Am andern Mittage fand man ihn nahe bei der alten Burg an eine Eiche gelehnt, das Gewehr im Anschlage, unbeweglich und wie von einem Starrkrampfe befallen. Erst nach langem Rufen und Rütteln erwachte er wie aus einem Schlafe. – Später hat er nie wieder Lust gezeigt, nach den drei Rehen zu schießen, und diese gehn nach wie vor ihres Weges nach der Sababurg.

OBERWESER

Eingebettet im Wesertal und umgeben von den großen Waldgebieten des Reinhardswaldes, des Sollings und des Bramwaldes liegen der Luftkurort Gieselwerder und die staatlich anerkannten Erholungsorte Oedelsheim, Gottstreu, Gewissenruh, Heisebeck und Arenborn, die seit 1971 die 3800 zählende neue Gemeinde Oberweser bilden. Von den sechs Ortsteilen von Oberweser liegen drei links und drei rechts der Weser; verbindendes Glied ist die Weserbrücke im Ortsteil Gieselwerder, der Sitz der Gemeindeverwaltung ist.
Gieselwerder, dessen Wasserburg wohl um 1100 zur Sicherung des Weserüberganges zum Kloster Lippoldsberg erbaut wurde, lag ursprünglich auf einer Insel (Werder bedeutet Insel!). Die Burg war anfangs im Besitz der Grafen von Northeim und gelangte mit deren Erbe an die Herzöge von Braunschweig. Vielfach Gegenstand von Streit zwischen Mainz und Braunschweig, wurde Gieselwerder 1462 an Hessen verpfändet und ging 1583 ganz in dessen Besitz über. 1722 wurden auf Geheiß von Landgraf Karl am linken Ufer der Weser die beiden Dörfer Gewissenruh und Gottstreu, deren Geschichte in der Folgezeit eng miteinander verbunden war, für piemontesische Waldenser gegründet. In den Waldensergemeinden zeugen noch heute französische Familiennamen, die beiden Hugenottenkirchen und französische Häuserinschriften von der Herkunft ihrer Bewohner.
Die Wasserburg in Gieselwerder ist nicht mehr erhalten; an ihrer Stelle steht ein Fachwerkbau, das heutige Rathaus. Die einzigen Zeugnisse der ehemaligen Burg sind die Reste der Umfassungsmauern nahe der Weser mit Tor und das Halbrund eines früheren Turmes. Beachtenswert in Oedelsheim ist die Pfarrkirche von 1829/30 sowie in allen Ortsteilen die schmucken, teilweise mit Inschriften versehenen Fachwerkhäuser.

Sehenswert: Reste der um 1100 erbauten Wasserburg an der Weser, Fachwerkhäuser, Hugenottenkirchen mit französischer Inschrift in den Waldensergemeinden, Miniaturmühlen- und Miniaturburgenanlage im Lumbachtal.
Freizeitmöglichkeiten: Angeln, Camping, Dampferfahrten, Kutschfahrten, Minigolf, Reiten, Wandern, Wassersport; Freibad, Hallenbad, Kneippsche Wassertretbecken.
Auskunft: Verkehrsamt der Gemeinde Oberweser, Rathaus – 3525 OBERWESER

Giesela und die Burg von Gieselwerder

Gieselwerder, ausgezeichnet durch seine herrliche Lage am linken Ufer der oberen Weser, soll seine Entstehung der Giesela, einer Tochter des Riesen auf der Krukenburg, verdanken. Wie die Sage berichtet, hatte dieser außer der Bramba, Saba und Trendula noch drei jüngere Töchter: Giesela, Drenta und Lippolda. Entzückt von der Schönheit der Gegend, die Giesela bei einem abendlichen Gang mit Lippolda empfand, beschloß sie, hier eine Burg zu erbauen, während Lippolda die Stätte des heutigen Lippoldsberg sich zum künftigen Wohnsitz erwählte. Von ihren Burgen aus gedachten sie mit den Schwestern auf der Bramburg und Sababurg innigen schwesterlichen Verkehr

zu pflegen. Gar oft saß Giesela in stillen, lauen Sommernächten auf dem Söller ihrer Burg und blickte sinnend und träumend hinab zur Weser, die leise raunend dahinflutete, während ihre Wellen im Glanze des Mondlichts wie eitel Silber erschienen. Giesela war im Gegensatz zu ihrer Schwester Trendula von großer Herzensgüte und eine Freundin des Geschlechts der Menschen. Sie wünschte nichts mehr, als daß dieser Ort einmal eine rechte Stätte des Segens für die Menschen werden möchte. Ihr Wunsch ging im reichsten Maße in Erfüllung; denn vor allen anderen Orten an der oberen Weser zeichnete sich Gieselwerder später durch seine reiche Gewerbetätigkeit aus.

WAHLSBURG

Die 3100 Einwohner zählende Gemeinde Wahlsburg entstand durch den Zusammenschluß der beiden Gemeinden Vernawahlshausen und Lippoldsberg im Jahre 1971. Bei Wahlsburg-Lippoldsberg, einem staatlich anerkannten Erholungsort, durchfließt die Weser einen weiten Talkessel, den die Ausläufer des Bramwaldes, des Sollings und des Reinhardswaldes umschließen. Der Name Wahlsburg leitet sich von einer verhältnismäßig gut erhaltenen Wallburganlage ab, die zwischen beiden Ortsteilen auf einer bewaldeten Höhe liegt.

In den Jahren 1051–1059 ließ Erzbischof Luitpold von Mainz auf einem mit dem Kloster Corvey getauschten Landstrich am rechten Ufer der Weser eine Holzkirche errichten und legte daneben das nach ihm benannte Dorf an. Ende des 11. Jh.s gründete Erzbischof Ruthard von Mainz ein Benediktinerinnenkloster, das die Hirsauer Regel annahm. 1151 erfolgte der Bau der Klosterkirche durch Propst Gunter. 1462 kam Lippoldsberg an die hessischen Landgrafen, und nach Einführung der Reformation in Hessen durften im Kloster von Lippoldsberg keine Novizinnen mehr aufgenommen werden, so daß das Kloster mit dem Tode der letzten Äbtissin erlosch.

Die ehemalige Klosterkirche, eine in ihren Maßen und Formen klar aufgebaute kreuzförmige Basilika, zählt zu den bedeutendsten romanischen Bauten des 12. Jh. in Deutschland. Eine Besonderheit ist die im Mittelschiff eingefügte Nonnenempore, deren Unterbau eine eindrucksvolle Säulenhalle bildet. Im Innern der Kirche befindet sich ein bedeutender spätromanischer Taufstein (um 1220). Im Klosterhof lebte der Erzähler Hans Grimm (1875–1959), dessen Bibliothek und umfangreiches Archiv im Klosterhaus besichtigt werden können. Um die Klosterkirche, die sich als Wahrzeichen der Gemeinde auf einer Anhöhe erhebt, drängt sich eine stattliche Zahl alter Fachwerkhäuser diemelsächsischer Prägung.

Sehenswert: Ehemalige Klosterkirche aus der Mitte des 12. Jh.s, zahlreiche Fachwerkhäuser.
Freizeitmöglichkeiten: Angeln, Dampferfahrten, Kutschfahrten, Minigolf, Wandern, Wassersport; Weserpromenade, Kurpark.
Auskunft: Verkehrsamt der Gemeinde Wahlsburg – 3417 WAHLSBURG 1

Lippoldsberg

Da, wo die Schwülme aus dem Solling heraustritt und in raschem Laufe der Weser zueilt, liegt im freundlichen Tale derselben der Flecken Lippoldsberg mit seiner schönen Kirche. Im Jahre 743 standen sich hier die feindlichen Heere der Franken und Sachsen gegenüber, nur geschieden durch die Weser. In einer der blutigen Schlachten fiel der Bischof Gerold von Mainz durch die Hand eines vornehmen Sachsen. Da forderte der Sohn und Nachfolger des gefallenen Bischofs, der Bischof Gewielib, den Besieger seines Vaters zu einer freundlichen Unterredung. Beide ritten deshalb in die Mitte des Stromes. Aber während der Unterredung zog der Bischof plötzlich ein Schwert

aus seinem Mantel hervor und durchbohrte den Sachsen, der mit keinem Gedanken an solche Hinterlist dachte. An beiden Ufern erhob sich furchtbares Geschrei, hier Beifall, da Verwünschungen. Es war das Zeichen zum Kampfe. Ohne Vorbereitung stürzten die Heere aufeinander, und die Sachsen wurden geschlagen. Ein späterer Erzbischof von Mainz, Luitpold mit Namen, erbaute an der Stelle eine hölzerne Kapelle und legte daneben ein Dorf an, das nach ihm den Namen »Lippoldsberg« erhielt.

150

BODENFELDE

Der 4500 Einwohner zählende Flecken Bodenfelde am oberen Teil der Weser wird umgeben von den Waldungen und Bergen des Sollings, des Reinhardswaldes und des Bramwaldes. Als Erholungsorte staatlich anerkannt sind Bodenfelde sowie der Ortsteil Wahmbeck direkt an der Weser.
Bodenfelde wurde im Jahre 833 als »Budinisveld« erstmals urkundlich erwähnt, als Kaiser Ludwig der Fromme seinen Anteil an den Bodenfelder Salzquellen der Abtei Corvey übereignete. Seit dem 11.Jh. gewannen die Mainzer Erzbischöfe mit Hilfe ihres Benediktinerinnenklosters Lippoldsberg an Einfluß im Raum Bodenfelde. Das Kloster nahm jede Gelegenheit wahr, seinen Besitzstand in und um Bodenfelde zu mehren, und erwarb 1278 die Besitzungen und Rechte der Abtei Corvey in Bodenfelde. Die eigentliche Macht lag in den Händen der Grafen von Northeim, die im 11.Jh. ihren Einflußbereich bis an die Weser ausgedehnt hatten und wahrscheinlich auch die erste Burganlage in Nienover errichteten. Anfang des 13.Jh.s kamen Bodenfelde und sein Umland in den Besitz der Grafen von Dassel, und Ende des 13.Jh.s erwarb der braunschweigische Herzog Albrecht der Lange den Ort. Die Burg Nienover im Solling wurde 1303 an Herzog Albrecht den Feisten, den Landesherrn des welfischen Teilfürstentums Göttingen, verkauft.
Weithin sichtbar ist die Pfarrkirche von Bodenfelde mit ihrem mittelalterlichen Westturm. Sehenswert in Wahmbeck und Bodenfelde sind einige Fachwerkhäuser diemelsächsischer Bauweise. Von Bodenfelde führt der Weg der Deutschen Märchenstraße durch das Reiherbachtal in den Solling. Über den Ortsteil Polier gelangt man zum Bodenfelder Ortsteil Nienover, wo sich als steinerner Zeuge einer wechselvollen Vergangenheit das ehemalige Jagdschloß der welfischen Herzöge erhebt. Die dreiflügelige Anlage, die von Baumeister A. A. Meldau als Fachwerkbau (Obergeschoß) in der Mitte des 17.Jh.s neu errichtet wurde, ruht auf den Grundmauern der im 30jährigen Krieg zerstörten Burg, von der noch die Krypta der ehemaligen Schloßkapelle erhalten ist. Zum Gesamtkomplex der Schloßanlage gehören noch die Zehntscheune, die Amtsmühle und das Wildenhaus.

Sehenswert: Jagdschloß Nienover, Fachwerkhäuser, urwüchsige Landschaft im Naturpark Solling-Vogler.
Freizeitmöglichkeiten: Angeln, Camping, Dampferfahrten, Kutschfahrten, Minigolf, Reiten, Wandern, Wassersport; Freibad, Hallenbad.
Auskunft: Flecken Bodenfelde – 3417 BODENFELDE

Der Fährmann an der Weser

Zu einem Schmied, der gleich neben der Weser wohnte und die Fähre bediente, kam eines Tages ein Zwerg und begehrte von ihm, den ganzen Vormittag die Weser hinüber- und herübergefahren zu werden. Der Lohn dafür solle ihm schon beschieden werden. Der Schmied fuhr also den ganzen Vormittag den Zwerg die Weser hinüber und herüber. Als der Fährmann schließlich unmutig wurde durch dieses ihm sinnlos erscheinende Fahren, hielt ihm der Zwerg seine Mütze hin, die er einmal aufsetzen solle. Als er es getan hatte, sah er jenseits der Weser auf dem Felde es kribbeln und wimmeln vor lauter Zwergen. Am Mittage, als der Zwerg endlich ausstieg, sagte er dem Schmied, daß er seinen Fährlohn in seinem Fährschiffe fände. Wie der Schmied genauer hinsah, entdeckte er eine Anzahl Äpfel, die aber nicht von einem Baume, sondern von einem Pferde stammten. In seinem Ärger warf er sie in die Weser. Als er später wieder in sein Fährschiff trat, siehe, da war aus einem Pferdeapfel, der liegengeblieben war, schieres Silber geworden. Nun suchte er in der Weser nach dem weggeworfenen Schatze, fand aber nichts mehr.

HOLZMINDEN

Die 23000 Einwohner zählende Stadt Holzminden liegt weit gefächert im Tal der Weser und des Hochsollings. Zu Holzminden gehören der staatlich anerkannte heilklimatische Kurort Neuhaus im Solling sowie der staatlich anerkannte Luftkurort Silberborn.
Um 1200 gründete Graf Albert der Ältere von Everstein die Stadt Holzminden, deren Stadt- und Marktrechte durch den Grafen Otto II. von Everstein im Jahre 1245 bestätigt wurden. 1410 heiratete Elisabeth von Everstein den Herzog Otto von Braunschweig, und 1519 kam die Stadt endgültig unter die Herrschaft der Welfen. Holzminden wurde im 30jährigen Krieg fast völlig zerstört und sank zu einer bescheidenen Ackerbürgerstadt herab. Ihren Wiederaufstieg im 18. Jh. verdankte die Stadt der regen baulichen und wirtschaftlichen Förderung durch den Oberjägermeister von Langen (1742–1763) und der Verlegung der Klosterschule Amelungsborn nach Holzminden. 1831 gründete Kreisbaumeister Friedrich Ludwig Haarmann die erste Norddeutsche Bauschule, deren Tätigkeit die Entwicklung des Bauwesens weit über den Weserraum beeinflußte.
Unter der Vielzahl der stattlichen Fachwerkhäuser ragen das 1609 erbaute sogenannte Tillyhaus, das Anfang des 17. Jh.s errichtete »Severinsche Haus« und das alte Fährhaus von 1662 besonders heraus. Die 1231 erstmalig erwähnte Pfarrkirche, ein ursprünglich romanischer dreischiffiger Gewölbebau, wurde Ende des 16. Jh.s in eine zweischiffige Kirche umgebaut. Die Altendorfer Kirche, ein einschiffiger romanischer Bruchsteinbau wurde nach den schweren Schäden im 30jährigen Krieg Anfang des 17. Jh.s instand gesetzt. Beachtung verdient das Heimatmuseum mit seiner geologischen und vorgeschichtlichen Sammlung. Besondere Anziehungspunkte sind das Denkmal Wilhelm Raabes (1831–1910), der bei seinem Großvater in Holzminden seine Jugendjahre verlebte, mit der Figur des Klaus Eckenbrecher (aus: Der Heilige Born) und das Glocken- und Figurenspiel »Meisterumzug der Bauschüler« im Reichs-Präsidentenhaus. Im Holzmindener Stadtteil Neuhaus im Solling befinden sich ein über 40 ha großer Wildpark mit Waldmuseum sowie das aus einem königlich-hannoverschen Trakehnergestüt entstandene neue »Haus des Gastes«. Eines der größten Hochmoore Niedersachsens ist das Naturschutzgebiet Mecklenbruch beim Stadtteil Silberborn.

Sehenswert: Fachwerkhäuser, Pfarrkirche, Heimatmuseum, Wilhelm-Raabe-Brunnen, Glockenspiel im Reichs-Präsidentenhaus, Wildpark mit Waldmuseum, Naturschutzgebiet Mecklenbruch.
Freizeitmöglichkeiten: Angeln, Camping, Dampferfahrten, Minigolf, Reiten, Segelfliegen, Tennis, Wandern, Wassersport, Wintersport; Freibad, Hallenbad, Trimm-dich-Pfad.
Auskunft: Fremdenverkehrs- und Kulturamt der Stadt Holzminden – 3450 HOLZMINDEN

Der Fluch der armen Tagelöhnerin

In der Stadt Holzminden lebte einmal ein großer Bauer, so reich wie nur einer, aber ohne Herz für die armen Leute und immer nur auf den eigenen Vorteil bedacht. Einer armen Tagelöhnerin, die im Schweiße ihres Angesichts manches Stück Korn für ihn mit der Hepe (Sichel) geschnitten hatte, wollte er statt des verdienten baren Geldes Heu für die Ziege liefern. Und die Witwe meinte, Heu wäre ebenso gut wie Geld, da sie dann doch nichts zu kaufen brauche. Doch der Bauer schickte ihr nur ganz schlechtes Heu, so schlecht, daß die Ziege davon krank wurde und starb. Was aber eine Ziege für eine arme Tagelöhnerin bedeutet, das kann man sich denken; die Frau tat denn auch gar übel, und als die Leute ihr sagten, die Ziege wäre nur von dem schlechten Heu krank geworden, reckte sie ihre Hand auf und verfluchte den geizigen Bauer in Zeit und Ewigkeit. – Als der Bauer gestorben war, konnte er keine Ruhe im Grabe finden. Nicht nur um Mitternacht, sogar am hellen Mittage stieg er mit einer Sense auf der Schulter oben aus der Scheunenluke und wanderte auf dem Scheunendache hin und her. Bald war das Gerücht davon in die ganze Umgegend gedrungen, und alle Leute machten einen weiten Bogen um das unheimliche Gehöft herum. Die Familie des verstorbenen und immer wiederkommenden Bauern wußte nicht, was sie anfangen sollte. Da riet ihr jemand, sie möchte doch einen katholischen Geistlichen kommen lassen, den Geist wegzubannen. Das tat sie denn auch, und der Geistliche bannte den bösen Geist in eine Flasche, setzte sich mit ihm in einen vierspännigen Wagen, jagte davon und verbannte den Geist in einen Sumpf bei Polle. Seither ist der böse Geist nie wiedergekommen.

Hackelbergs Tod und sein Grab

Holzminden – Neuhaus

In Neuhaus im Solling lebte einmal ein Oberförster, der Hackelberg hieß. Drei Nächte lang träumte er von einer Jagd, bei der er einen großen Keiler zur Strecke bringen wollte. Bei dem Kampf hatte der Keiler ihn zu Boden gerissen und mit seinen Hauern getötet. Dieses nächtliche Erlebnis erzählte er seiner Frau, die ihn bat, an der großen Jagd nicht teilzunehmen. Er blieb zu Hause, während die anderen Jäger im Solling jagten und einen bissigen Keiler erlegten. Als sie am Abend von der Jagd heimkehrten, brachten die Jäger den Keiler als Jagdbeute mit und legten ihn in den Hof. Hackelberg ging aus dem Haus, faßte den Kopf des borstigen Keilers, hob ihn in die Höhe und rief: »Du bist es also, der mich töten wollte!« Er ließ den Kopf des Keilers wieder fallen, dabei ritzte ihm ein Hauer das Bein, aus dem Blut floß. Hackelberg beachtete anfangs die Wunde nicht. Nach Tagen verschlimmerte sie sich so sehr, daß er daran starb.

Als ihm bewußt war, daß es keine Heilung mehr gab und er sterben müsse, sagte er, er wolle auf dem Moosberge an der Stelle begraben sein, wohin ihn sein Schimmel ziehen würde, den er zu Lebzeiten zu reiten pflegte. Würde man andere Pferde vor dem Wagen spannen, so würden diese ihn nicht von der Stelle bringen, wenn ihrer auch noch so viele wären.

Die Angehörigen und Jägersleute befolgten seinen letzten Willen. Den toten Hackelberg legte man in einen Kasten, und vor den Wagen spannte man den Schimmel, der jedoch nach einer kurzen Zeit unruhig wurde und sich wild gebärdete, bis er schließlich mit dem Wagen davonrannte. Kein Mensch konnte ihm folgen. In der Nähe von Sievershausen auf dem Moosberge brach der Wagen entzwei. Der Schimmel stürzte zu Boden und war tot. Ein Mann, der des Weges kam, grub den Kasten ein. Hackelbergs Grab findet niemand, der es sucht, nur wer von ungefähr dahin kommt, kann es sehen. Einst fand es ein Schäfer und steckte, um es zu bezeichnen, seinen Schäferstab mit Hut darauf. Dann eilte er fort, um es auch anderen Hirten zu zeigen. Doch als er mit ihnen zurückkam, konnte er die Stelle nicht wiederfinden. Erst später hat er durch Zufall Hut und Stock an einer anderen Stelle gefunden.

Hackelberg fand im Grabe keine Ruhe. Er muß bis in alle Ewigkeit jagen. Seit seinem Tode jagt der wilde Jäger in den Lüften des Himmels dahin bis ans Ende der Welt. Alle sieben Jahre kommt er einmal herum. Voraus fliegt ein Nachtrabe von ungewöhnlicher Größe, dann folgen laut bellende Hunde. Hackelberg selbst ist unsichtbar, aber sein dröhnender Jagdruf, das wilde to ho!, meinen die Leute um Neuhaus noch heute zu hören.

POLLE

Der mittelalterlich anmutende Flecken Polle breitet sich mit seiner Burg hoch über der Weser auf einem Jurasattel aus. Polle ist als Luftkurort staatlich anerkannt und hat ca. 1500 Einwohner.
Die wohl im 12. Jh. erbaute Burg Polle wurde erstmalig 1285 urkundlich erwähnt. Sie war Residenz der reichbegüterten, nur dem Kaiser verantwortlichen Grafen von Everstein, deren Grafschaft neun Burgen und das weite Weserland bis Holzminden umfaßte. Verhängnisvoll war die immer wieder aufflackernde Feindschaft mit Braunschweig und dem östlich benachbarten Homburg (Grafen von Northeim), die nach und nach große Teile der Grafschaft Everstein in ihren Besitz brachten. 1407 wurde auch Polle erobert und fiel an den Welfenherzog Heinrich von Braunschweig. Im 30jährigen Krieg wurde die Burg oft belagert: die Unterburg wurde 1623 von Tilly und die Oberburg 1641 von den Schweden in Brand gesetzt. Das 1656 erbaute Amtshaus zerstörten kurz vor Ende des Zweiten Weltkrieges die Amerikaner.
Das Wahrzeichen von Polle ist die ehemalige Burg der Grafen von Everstein. Von der hochgelegenen Freilichtbühne und von dem als Aussichtsturm ausgebauten Bergfried der Burg hat man einen wundervollen Rundblick auf das Wesertal, ins Lippische Land und auf die Waldgebiete Vogler und Solling. Am Fuß der Burgruine breiten sich zahlreiche stattliche Fachwerkhäuser aus dem 16.–19. Jh. aus. Von den romantischen Gassen und Plätzen ist der Gänsemarkt besonders sehenswert. Die Pfarrkirche St. Georg, ein Saalbau mit flacher Balkendecke, wurde in der 2. Hälfte des 16. Jh.s errichtet.

Sehenswert: Burgruine Polle, Fachwerkhäuser, Gänsemarkt, Pfarrkirche St. Georg.
Freizeitmöglichkeiten: Angeln, Camping, Dampferfahrten, Wandern, Wassersport; Hallenbad, Sauna und medizinische Bäder.
Auskunft: Verkehrsverein Polle – 3453 POLLE

Der Köterberg

Einem Schäfer, der auf dem Köterberge seine Herde hütete, erschien eine reizende Jungfrau in königlicher Tracht, die trug in ihrer Hand eine Springwurzel, bot sie dem Schäfer dar und sagte: »Folge mir!« Da folgte ihr der Schäfer, und sie führte ihn durch eine Höhle in den Köterberg hinein, bis am Ende eines tiefen Ganges eine eiserne Türe das Weitergehen hemmte. »Halte die Springwurzel an das Schloß!«, gebot die Jungfrau, und wie der Schäfer gehorchte, sprang die Pforte krachend auf. Nun wandelten sie weiter, tief in den Bergesschoß hinein, wohl bis in des Berges Mitte. Da saßen an einem Tische zwei Jungfrauen und spannen, und unterm Tische lag der Teufel, aber angekettet. Ringsum standen in Körben Gold und Edelsteine. »Nimm dir, aber vergiß das Beste nicht!«, sprach die Jungfrau zum Schäfer; da legte dieser die Springwurzel auf den Tisch, füllte sich die Taschen und ging. Die Springwurzel aber ließ er auf dem Tische liegen. Wie er durch das Tor trat,

schlug die Türe mit Schallen hinter ihm zu und schlug ihn hart an die Ferse. Mit Mühe entkroch der Schäfer der Höhle und freute sich am Tageslichte des gewonnenen Schatzes. Als er diesen überzählte, gedachte er sich den Weg wohl zu merken, um nach Gelegenheit noch mehr zu holen, allein wie er sich umsah, konnte er nirgend den Ein- oder Ausgang entdecken, durch den er gekommen war. Er hatte das Beste, nämlich das beste Stück zur Wiederkehr, die Springwurzel, *vergessen.*

KÖTERBERG: Erhebung aus Keupersandstein zwischen Niese und Polle, 497 m.

BODENWERDER

Die Stadt Bodenwerder an der Weser, die durch die »Abenteuer« ihres berühmten Sohnes, des Freiherrn Karl Friedrich Hieronymus von Münchhausen (1720–1797), weit bekannt geworden ist, hat 7000 Einwohner.
Unweit des im Jahre 959 gegründeten Klosters Kemnade entwickelte sich die Marktsiedlung »Insula« (Werder), die 1245 durch Kauf von der Abtei Corvey in den Besitz Heinrich II. von Homburg gelangte und von diesem 1287 Stadtrechte erhielt. Der Name der Stadt Bodenwerder geht auf die Herren von Homburg zurück, von denen ein Ritter Bodo von Homburg als erster Oberherr Bodenwerders (= Bodos Insel oder Werder) genannt wurde. Nach dem Aussterben der Homburger kam die wohlhabende Stadt im Jahre 1409 an die Welfen. Schwere Brände, Überschwemmungen und der 30jährige Krieg fügten der Stadt schwere Schäden zu, von denen sie sich in der Folgezeit nur langsam erholte.
Das heutige Rathaus von Bodenwerder ist das Geburtshaus des großen Fabulierers Freiherr von Münchhausen. Das im Jahre 1603 durch J. Hundertossen aus Hameln als Herrenhaus errichtete Gebäude erfuhr Anfang des 18. Jh.s bauliche Veränderungen am Portal. In einem Erinnerungszimmer können neben persönlichen Andenken des Freiherrn nahezu alle Ausgaben seiner »Wunderbaren Reisen und Abenteuer« besichtigt werden. Nicht weit vom Rathaus erhebt sich am Berghang das Münchhausen-Gartenhaus aus dem Jahre 1763, in dessen oberem Zimmer Münchhausen viele seiner Anekdoten zum besten gab.
Auf dem Marktplatz von Bodenwerder stehen die im Jahre 1410 geweihte St.-Nicolai-Kirche und das älteste Wohnhaus der Stadt aus dem Jahre 1484. Nicht weit entfernt liegt auch das älteste Gotteshaus von Bodenwerder, die St.-Gertrudis-Kapelle, aus dem 12. Jh. Sehenswert in der Homburgstraße sind eine Reihe von Fachwerkhäusern mit sorgsam gepflegten Fachwerkgiebeln, darunter das »Haus Plate« von 1550. In der Weserstraße fällt der Blick auf die »Alte Apotheke« (1625), auf das einstige Zollhaus, das alte Fährhaus mit drolliger Ornamentmalerei und alten Hochwassermarken sowie auf ein mit sehr viel Schnitzereien versehenes Haus aus dem Jahre 1604.
Zu Bodenwerder gehört die ehemalige Klosterkirche Kemnade. In der schönen dreischiffigen Kirche sind einige sakrale Kostbarkeiten erhalten geblieben, so zwei Kruzifixe aus dem 13. und 16. Jh., eine holzgeschnitzte Pieta (um 1500), eine wertvolle Strahlenmadonna (um 1480), ein romanischer Taufstein und ein aus Buntsandstein gefertigtes kleines Sakramentshäuschen.

Sehenswert: Münchhausen-Gedenkstätten: Geburtshaus, Gartenhaus, Brunnen; Klosterkirche Kemnade, St.-Nicolai-Kirche, St.-Gertrudis-Kapelle, Fachwerkhäuser.
Freizeitmöglichkeiten: Angeln, Camping, Dampferfahrten, Minigolf, Reiten, Tennis, Wandern, Wassersport; Jod-Solbad, Sole-Freibad, Hallenbad, Trimm-dich-Pfad.
Auskunft: Städtisches Verkehrsamt Bodenwerder – 3452 Bodenwerder

Des Baron Münchhausens Abenteuer auf der Reise nach Rußland

Ich trat meine Reise nach Rußland von Haus ab mitten im Winter an, weil ich ganz richtig schloß, daß Frost und Schnee die Wege durch die nördlichen Gegenden von Deutschland, Polen, Kur- und Livland, welche nach der Beschreibung aller Reisenden fast noch elender sind, als die Wege nach dem Tempel der Tugend, endlich ohne besondere Kosten hochpreislicher wohlfürsorgender Landesregierungen, ausbessern müßte. Ich reiste zu Pferde, welches, wenn es sonst nur gut um Gaul und Reiter steht, die bequemste Art zu reisen ist. Denn man riskiert alsdann weder mit irgendeinem höflichen deutschen Postmeister eine Affaire d'honneur zu bekommen, noch von seinem durstigen Postillion vor jede Schenke geschleppt zu werden. Ich war nur leicht bekleidet, welches ich ziemlich übel empfand, je weiter ich gegen Nordost hin kam.

Nun kann man sich einbilden, wie bei so strengem Wetter unter dem rauhesten Himmelsstriche einem armen alten Mann zumute sein mußte, der in Polen auf einem öden Anger, über den der Nordost hinschnitt, hilflos und schauernd da lag und kaum hatte, womit er seine Schamblöße bedecken konnte.

Der arme Teufel dauerte mich von ganzer Seele. Ob mir gleich selbst das Herz im Leibe fror, so warf ich dennoch meinen Reisemantel über ihn her. Plötzlich erscholl eine Stimme vom Himmel, die dieses Liebeswerk ganz ausnehmend herausstrich und mir zurief:

Hol mich der Teufel, mein Sohn,
das soll dir nicht unvergolten bleiben!

Ich ließ das gut sein und ritt weiter, bis Nacht und Dunkelheit mich überfielen. Nirgends war ein Dorf zu hören, noch zu sehen. Das ganze Land lag unter Schnee; und ich wußte weder Weg noch Steg.

Des Reitens müde, stieg ich endlich ab und band mein Pferd an eine Art von spitzem Baumstaken, der über dem Schnee hervorragte. Zur Sicherheit nahm ich meine Pistolen unter den Arm, legte mich nicht weit davon in den Schnee nieder und tat ein so gesundes Schläfchen, daß mir die Augen nicht eher wieder aufgingen, als bis es heller lichter Tag war. Wie groß war aber mein Erstaunen, als ich fand, daß ich mitten in einem Dorfe auf dem Kirchhofe lag! Mein Pferd war anfänglich nirgends zu sehen; doch hörte ich's bald darauf irgendwo über mir wiehern. Als ich nun emporsah, so wurde ich gewahr, daß es an den Wetterhahn des Kirchturms gebunden war und von da herunterhing. Nun wußte ich sogleich, wie ich dran war. Das Dorf war nämlich die Nacht über ganz zugeschneit gewesen; das Wetter hatte sich auf einmal umgesetzt; ich war im Schlaf nach und nach, so wie der Schnee zusammenge-

schmolzen war, ganz sanft herabgesunken; und was ich in der Dunkelheit für den Stumpf eines Bäumchens, der über dem Schnee hervorragte, gehalten und daran mein Pferd gebunden hatte, das war das Kreuz oder der Wetterhahn des Kirchturms gewesen.

Ohne mich nun lange zu bedenken, nahm ich eine von meinen Pistolen, schoß nach dem Halfter, kam glücklich auf die Art wieder zu meinem Pferde und verfolgte meine Reise.

Hierauf ging alles gut, bis ich nach Rußland kam, wo es eben nicht Mode ist, des Winters zu Pferde zu reisen. Wie es nun immer meine Maxime ist, mich nach dem bekannten: *ländlich sittlich* zu richten, so nahm ich dort einen kleinen Rennschlitten auf ein einzelnes Pferd und fuhr wohlgemut auf St. Petersburg los.

Nun weiß ich nicht mehr recht, ob es in Estland oder in Ingermanland war, soviel aber besinne ich mich noch wohl, es war mitten in einem fürchterlichen Walde, als ich einen entsetzlichen Wolf mit aller Schnelligkeit des gefräßigsten Winterhungers hinter mich ansetzen sah. Er holte mich bald ein, und es war schlechterdings unmöglich, ihm zu entkommen. Mechanisch legte ich mich platt in den Schlitten nieder und ließ mein Pferd zu unserm beiderseitigen Besten ganz allein agieren. Was ich zwar vermutete, aber kaum zu hoffen und zu erwarten wagte, das geschah gleich nachher. Der Wolf bekümmerte sich nicht im mindesten um meine Wenigkeit, sondern sprang über mich hinweg, fiel wütend auf das Pferd, riß ab und verschlang auf einmal den ganzen Hinterteil des armen Tieres, welches vor Schrecken und Schmerz nur desto schneller lief. Wie ich nun auf die Art selbst so unbemerkt und gut davongekommen war, so erhob ich ganz verstohlen mein Gesicht und nahm mit Entsetzen wahr daß der Wolf sich beinahe über und über in das Pferd hineingefressen hatte. Kaum aber hatte er sich so hübsch hineingezwängt, so nahm ich mein Tempo wahr, und fiel ihm tüchtig mit meiner Peitsche auf das Fell. Solch ein unerwarteter Überfall in diesem Futteral verursachte ihm keinen geringen Schreck; er strebte mit aller Macht vorwärts, der Leichnam des Pferdes fiel zu Boden, und siehe! an seiner Statt steckte mein Wolf in dem Geschirre. Ich meines Orts hörte nun noch weniger auf zu peitschen, und wir langten in vollem Galopp gesund und wohlbehalten in St. Petersburg an, ganz gegen unsere beiderseitigen respektiven Erwartungen und zu nicht geringem Erstaunen aller Zuschauer.

BAD PYRMONT

Das niedersächsische Staatsbad Pyrmont im fischreichen Tal der Emmer breitet sich mit seinen 22000 Einwohnern zwischen den Weserbergen und den Ausläufern des Teutoburger Waldes aus. Durch seine nach Norden, Osten und Westen geschützte Lage ist Bad Pyrmont klimatisch begünstigt und hat ein gleichmäßig mildes Schonklima.

Die Stadt verdankt ihren Namen der im 12. Jh. von Erzbischof Philipp von Köln erbauten und 1184 erwähnten Burg »Petrimons« auf dem Schellenberg. Im 14. Jh. verlegten die Grafen von Schwalenberg ihre Residenz nach Lügde, und die Burg verfiel. Nach dem Aussterben der Schwalenberger im Jahre 1494 kam ihr Territorium nacheinander an die Grafen von Spiegelberg (bis 1557), an die Häuser Lippe (bis 1583), Gleichen (bis 1625) und Waldeck (bis 1922, dann preußisch). Unweit der schon in römisch-germanischer Zeit bekannten Heilquellen ließ Graf Friedrich von Spiegelberg 1526 eine Wasserburg in der Nähe des Dorfes Oesdorf errichten, die den Namen der aufgegebenen Burg erhielt. Im Jahre 1556 setzte ein »Geläuf« zu den wundertätigen Quellen ein, in dessen Verlauf sich 10000 Menschen im Pyrmonter Talkessel einfanden. Erst 1668 gründete Fürst Georg Friedrich von Waldeck-Pyrmont das Bad Pyrmont, als er über dem »hylligen Born« ein Brunnenhaus als Trinkhalle errichten ließ und den Bau von Häusern als Unterkunft für Kurgäste an der von ihm neu angelegten Straße, der heutigen Brunnenstraße, nach Oesdorf förderte. Im 17. und 18. Jh. wurde Bad Pyrmont, das 1720 städtische Privilegien, aber erst 1850 Selbstverwaltung erhielt, zum Modebad des europäischen Adels und der geistigen Oberschicht. Unter anderem hielten sich hier auf: Zar Peter der Große, Georg I. von England, Friedrich der Große, Friedrich Wilhelm II., Chamisso, Claudius, Goethe, Herder, Klopstock und Lessing.

Von dem unter den Grafen von Spiegelberg erbauten befestigten Wasserschloß sind die Wassergräben, Teile der Kasematten und die mächtigen Erdwälle noch erhalten. In den Jahren 1706–1710 wurde vom Braunschweiger Baumeister H. Korb anstelle des alten Wohntraktes das heutige Barockschloß errichtet. Umgestaltungen und Erweiterungen wurden 1721–1727 von J.L. Rothweil und 1765–1777 von dessen Sohn F.F. Rothweil vorgenommen. Im Innern des Pyrmonter Schlosses sind der Große Saal mit der reich gegliederten Stuckdecke von J. Perinetti (1706–1710) und im Annexbau Malereien von F. A. Tischbein besonders sehenswert. Die beiden Kavalierhäuser und das Kommandantenhaus wurden von J.L. Rothweil erbaut. Berühmt ist der gepflegte Kurpark mit seinen charakteristischen Alleen, urwüchsigen Baumgruppen, seltenen Sträuchern, dem Palmengarten, seinen Wasserläufen, dem Hylligen Born und den Kurhäusern. Reizvolle Bauten aus dem 18.–20. Jh. prägen das Stadtbild von Bad Pyrmont. Besondere Beachtung verdienen die Häuser (eine Reihe davon aus Fachwerk) um den Brunnenplatz, an der Hauptallee, um den Altenauplatz, in der Altenaustraße und in der Kirchstraße. Ein lohnendes Ziel für Spaziergänger sind die Dunsthöhle, aus der kohlensaure Gase bis zu 2 m emporsteigen, und die Erdfälle, wassergefüllte Erdtrichter, die an die Maare der Eifel erinnern.

Sehenswert: Kurpark mit Palmengarten und Barockschloß, Brunnentempel »Hylliger Born«, Historische Hauptallee mit Fontäne. Dunsthöhle, Erdfälle.
Freizeitmöglichkeiten: Angeln, Boccia, Camping, Freischach, Golf, Kutschfahrten, Minigolf, Reiten, Tennis, Wandern; Hallenwellen- und Freibad, Spielbank, Tierpark, Trimm-dich-Pfad.
Auskunft: Staatsbad Pyrmont – 3280 Bad Pyrmont

Die Wasserfee

Mit dem Grafen Dietrich von Pyrmont hat sich einstmals eine wunderbare Geschichte zugetragen. Er ritt nämlich an einem Maientage von seinem Schlosse auf dem Schellenberge hernieder ins grüne Tal. Damals war an dem Orte, wo später der heilige Born, die heutige Heilquelle, hervorsprudelte, noch ein großer, blinkender See. Das war Herrn Dietrichs Lieblingsort, und oft saß er am Ufer des Sees, lauschte dem Rauschen des Wassers und erfreute sich an Blumen und Bäumen. Auch diesmal lenkte er dorthin sein Roß.
Als er näher kam, sah er zu seinem großen Erstaunen auf einem bemoosten Felsen am Rande des Sees eine anmutige Frau sitzen. In ihrem Schoße ruhte eine Harfe mit silbernen Saiten, über die sie bisweilen mit ihrer weißen Hand hinfuhr, daß sehnsuchtsvolle Klänge leise daraus hervorquollen. Als aber Graf Dietrich ganz nahe war, griff sie kräftig in die Saiten und sang dazu:

»Dieterich, lieber Grafe mein,
Sollst mein herzliebster Buhle sein;
Sollst mit in mein kristallen Schloß,
Soll ruhen dein Haupt in meinem Schoß.«

Als der Graf ihre lockende Stimme hörte und in ihre verlangenden Augen sah, wurde es ihm gar seltsam ums Herz. Es währte lange, ehe er fragen konnte, wer sie wäre. Während er sich zu ihr setzte, begann sie zu erzählen: »Ich bin die Herrin des Sees, und tief auf seinem kühlen Grunde steht mein Schloß. Dich habe ich lange gekannt, du teurer Held, und mich oft nach dir gesehnt. Aber erst heute ward es mir beschieden, dich zu finden. So komm denn mit mir hinab in meine Wohnung. Dreimal drei Tage darfst du bei mir sein; doch am zehnten Tage mußt du immer wieder herauf. Willst du, Graf Dietrich?«
Der Graf erwiderte, stammelnd vor Entzücken: »O laßt mich nicht lange warten, hohe Frau; nehmt mich nur schnell mit in Euer kühles Schloß!«
»Aber eins mußt du mir versprechen; du darfst nimmer einer andern, und wäre sie noch so schön, deine Liebe zuwenden. Das wäre schlimm für uns beide, sehr schlimm.«
Der Graf antwortete: »Wie könnte eine andere Eingang in das Herz finden, in dem Ihr wohnt! Niemals kann Graf Dietrich Euch treulos werden.«

HYLLIGE BORN

Da griff die Wasserfee wieder in die Saiten, daß es seltsam und beschwörend über den See hinrauschte. Die Wellen teilten sich, und eine Marmortreppe ward sichtbar. Der Graf und die Fee stiegen hinab, und die Wasser kehrten wieder zurück und schlugen über ihren Häuptern zusammen. Viele Stufen stiegen sie hinab. Endlich war die Treppe zu Ende, und sie standen vor dem Kristallschlosse, dessen funkelnde Dächer unter Korallenbäumen emporragten.
An der Pforte des Palastes wurden sie von einer Schar lieblicher Mädchen empfangen, die ihre Herrin und den Grafen mit süßen Liedern willkommen hießen. Die Säle und Hallen, die gewölbten Gänge, die Säulen, die blumenduftenden Gärten der Wasserfee waren von solcher Schönheit, daß der Graf schier schwindlig wurde vor all der Pracht.
Schnell verging die Zeit, und ehe der Graf es ahnte, waren dreimal drei Tage verronnen. Da sprach die Wasserfee zu ihm: »Jetzt mußt du mich auf einen Tag verlassen. Ist er vorüber, so finde dich wieder am Ufer meines Sees ein, rühre die Saiten der Harfe, und alsbald wird dir die Marmortreppe erscheinen.« Darauf reichte sie ihm ihr Saitenspiel und nahm Abschied von ihm.
Dietrich ging allein die Stufen hinan; die Wogen teilten sich, und er befand sich bald oben am Ufer des Sees. Kaum war der Tag vorüber, so ließ er die Saiten der Zauberharfe erklingen, wodurch ihm dann auch bald die Treppe sichtbar ward, auf der er in die Arme der Wasserfee herniederstieg.
So lebten sie viele Jahre lang. Der Graf wurde nicht älter, seine Liebe nicht schwächer. Da geschah es, daß der König ein großes Turnier ausschreiben und alle Ritter seines Landes dazu einladen ließ. Es sollte auf Leben und Tod gekämpft werden, und der Sieger sollte des Königs Tochter zur Gemahlin haben.
Auch Graf Dietrich von Pyrmont hatte den Ruf vernommen und bat die Wasserfee um Erlaubnis, ihm folgen zu dürfen. Sie suchte ihn zwar auf alle Weise von seinem Vorhaben abzubringen; aber er ließ sich's nicht ausreden. Seine Ehre, sagte er, stehe auf dem Spiel, und damit entkräftete er all ihre Bitten und Tränen. Als sie endlich sah, daß alles vergeblich sei, holte sie eine Halskette von roten Korallen hervor, reichte sie ihm hin und sprach: »Solange du diesen Talisman unversehrt trägst, kann nicht fremde Liebe dein Herz berücken, und alles bleibt gut. Aber wenn sie je von dir käme, dann hüte dich, Graf, hüte dich!« Herr Dietrich versprach, den Schmuck aufs sorgfältigste zu bewahren, und nahm unter vielen Tränen Abschied.
Eine große Anzahl von Rittern und Herren war zu des Königs Turnier von nah und fern gekommen, und das Ritterspiel ward aufs glanzvollste eröffnet. Aber wie viele, wie starke Kämpfer sich ihm auch entgegenstellen mochten, Graf Dietrich besiegte sie alle, so daß ihn zuletzt, trotz des allgemeinen Jubels, eine große Angst vor dem Ausgang des Turniers befiel. Aber er trug ja den Talisman, und so konnte ihm nichts Übles widerfahren.
Jetzt kam der letzte, gewaltigste Ritter zum Kampf. Lange dauerte der Streit;

aber zuletzt lag auch der stärkste Kämpfer, besiegt von des Grafen Hand, am Boden. Unter dem fröhlichen Zuruf des Volkes und der Ritter führte der König selbst seine wunderschöne Tochter dem Grafen zu. Dieser stand wie betäubt und merkte es lange nicht, daß ein Schwerthieb des starken Ritters die Halskette, die er als edlen Schmuck über der Rüstung trug, zertrümmert hatte.
Als er trübselig auf die im Staube umherliegenden Korallen herabsah, glaubte der König ihn für den Verlust des teuren Kleinods entschädigen zu müssen und hing ihm mit eigener Hand eine kostbare Goldkette um. Graf Dietrich ließ alles, was man wollte, stillschweigend mit sich geschehen. Und wie es nun einmal mit ihm gekommen war, konnte er auch nicht anders. Denn hätte er von seiner Verbindung mit der Wasserfee reden wollen, so hätte man ihn als einen Gotteslästerer und Hexenmeister verbrannt.
Bis jetzt hatte er die Königstochter nur mit gleichgültigen, ja beinahe feindseligen Augen angesehen. Aber als sie ihn nun teilnehmend nach der Ursache seines Kummers fragte, als sie seinen Trübsinn mit tausend Schmeicheleien zu verscheuchen suchte, als sie ihn ihren teuren Ritter nannte, da wuchs in seinem jungen Herzen wieder Lust am Leben auf. Und mit der Lebenslust schlich sich auch die Liebe unvermerkt und leise in seine Brust, die von keinem Talisman mehr bewacht wurde. In dieser Zeit zogen oft finstre, warnende Harfentöne durch seine Träume. Er sah die Wasserfee sitzen: klagend, weinend, händeringend. Aber seine erste Liebe war schon vergessen und wie ein abgetragenes Kleid beiseite gelegt.
Als nun der Hochzeitstag da war und der Graf mit der schönen Braut am Altare stand, da stand noch eine dritte daneben, und das war die Wasserfee. Und in dem Augenblicke, als der Graf das Jawort aussprechen wollte, umschlangen ihn ihre feuchten Arme so wild, so kalt, daß er tot an den Altarstufen niedersank.
Es währte lange, ehe sich die Leute von ihrem furchtbaren Entsetzen erholen konnten. Als sie aber später den Leichnam begraben wollten, war er nirgends zu finden. Er ruhte im Kristallschloß der Wasserfee.

HAMELN

Die Stadt Hameln, Schauplatz der Rattenfänger-Sage, liegt im fruchtbaren, von Bergzügen geschützten Tal der Weser bei der Einmündung der Hamel. Hameln hat ca. 63000 Einwohner und ist Mittelpunkt eines eigenen Baustils des 16. und 17. Jh.s, der sog. Weserrenaissance.
Ausgangspunkt für die Entstehung von Hameln war die Gründung eines Benediktinerklosters als Missionsposten im Gebiet der Sachsen durch die Reichsabtei Fulda gegen Ende des 8. Jh.s. Im 11. Jh. entwickelte sich Hameln zum Marktort und fand gegen 1200 erstmalig urkundlich als Stadt Erwähnung. Nach der Schlacht von Sedemünder (1260) kam Hameln im Jahre 1277 an den Welfenherzog Albrecht von Braunschweig, der die Freiheiten und Rechte der Stadt bestätigte.
Durch die günstige Verkehrslage als wichtiger Übergang über die schiffbare Weser gelangte Hameln insbesondere durch den Handel mit Getreide und Mühlsteinen zu großem Wohlstand. Von 1426 bis 1572 gehörte die Stadt der Hanse an. Nach dem 30jährigen Krieg und dem 7jährigen Krieg wurde Hameln zur Landesfestung ausgebaut und galt als »Gibraltar des Nordens« für uneinnehmbar. Auf Befehl Napoleons wurden die Festungswerke im Jahre 1808 geschleift.
Unweit der Weser liegt an der Stelle des einstigen fuldischen Missionsklosters die häufig veränderte romanisch-gotische Münsterkirche St. Bonifatius. Zu den ältesten Teilen gehören die Krypta (11. Jh.), der achteckige Vierungsturm (12. Jh.) und der Anbau der Elisabethkapelle (um 1250). Im 14. Jh. erfolgte der Umbau und die Erweiterung zur dreischiffigen gotischen Hallenkirche. Von der alten Ausstattung des Münsters ist nur wenig erhalten, so ein gotisches Sakramentshäuschen, eine Kalksteinreliefplatte (Anfang 15. Jh.) – Maria, von Engeln gekrönt – und am Vierungspfeiler der Grabstein (14. Jh.) für den angeblichen Stifter des Münsters mit dem legendären Gründungsdatum 712. Nach der Zerstörung im Zweiten Weltkrieg wurde die Marktkirche St. Nicolai unter Verwendung der alten Bausubstanz wiederaufgebaut.
Zentrum der gut erhaltenen Bürgerhäuser von Hameln ist die Osterstraße mit ihren bedeutenden Bauwerken im Stil der Weserrenaissance mit reichen Giebelverzierungen, Inschriften und Erkerausbauten (das Rattenfängerhaus 1602–1603; das Haus Leist 1585–1589, jetzt Heimatmuseum; das Hochzeitshaus mit Rattenfänger-Glokkenspiel, 1610–1617 von der Stadt als repräsentatives Fest- und Feierhaus errichtet) sowie einigen hübschen Fachwerkhäusern (Stiftsherrenhaus mit prächtigen Schnitzereien, 1558; Haus Ostertorstraße 18, von 1513). In der als Ensemble sehenswerten Hamelner Altstadt sind das Dempterhaus von 1607/08 am Markt und der Rattenkrug von 1568/69 in der Bäckerstraße weitere prächtige Beispiele der Weserrenaissance.
Die alte Sage vom Rattenfänger wird in den Sommermonaten (Juni–September) jeden Sonntag um 12 Uhr von Laienspielern in historischen Kostümen auf der Terrasse des Hochzeitshauses aufgeführt.

Sehenswert: Münsterkirche St. Bonifatius, Marktkirche St. Nicolai, Altstadt als Ensemble mit prächtigen Fachwerkbauten und Bürgerhäusern im Stil der Weserrenaissance, Rattenfänger-Freilichtspiel.
Freizeitmöglichkeiten: Angeln, Camping, Dampferfahrten, Freischach, Minigolf, Reiten, Segelfliegen, Tennis, Wandern, Wassersport; Freibad, Hallenbad, Waldlehrpfad.
Auskunft: Verkehrsverein Hameln – 3520 HAMELN

Die Kinder zu Hameln

Im Jahre 1284 ließ sich zu Hameln ein wunderlicher Mann sehen. Er hatte einen Rock von vielfarbigem, buntem Tuch an, weshalben er *Bundting* soll geheißen haben, und gab sich für einen Rattenfänger aus, indem er versprach, gegen ein gewisses Geld die Stadt von allen Mäusen und Ratten zu befreien. Die Bürger wurden mit ihm einig und versicherten ihm einen bestimmten Lohn. Der Rattenfänger zog demnach ein Pfeifchen heraus und pfiff, da kamen alsobald die Ratten und Mäuse aus allen Häusern hervorgekrochen und sammelten sich um ihn herum. Als er nun meinte, es wäre keine zurück, ging er hinaus, und der ganze Haufen folgte ihm, und so führte er sie an die Weser; dort schürzte er seine Kleider und trat in das Wasser, worauf ihm alle die Tiere folgten und hineinstürzend ertranken.
Nachdem die Bürger aber von ihrer Plage befreit waren, reute sie der versprochene Lohn, und sie verweigerten ihn dem Manne unter allerlei Ausflüchten, so daß er zornig und erbittert wegging. Am 26. Juni auf Johannis und Pauli Tag, morgens früh sieben Uhr, nach andern zu Mittag, erschien er wieder, jetzt in Gestalt eines Jägers erschrecklichen Angesichts mit einem roten, wunderlichen Hut und ließ seine Pfeife in den Gassen hören. Alsbald kamen diesmal nicht Ratten und Mäuse, sondern Kinder, Knaben und Mägdlein vom vierten Jahr an, in großer Anzahl gelaufen, worunter auch die schon erwachsene Tochter des Bürgermeisters war. Der ganze Schwarm folgte ihm nach, und er führte sie hinaus in einen Berg, wo er mit ihnen verschwand. Dies hatte ein Kindermädchen gesehen, welches mit einem Kind auf dem Arm von fern nachgezogen war, danach umkehrte und das Gerücht in die Stadt brachte. Die Eltern liefen haufenweis vor alle Tore und suchten mit betrübtem Herzen ihre Kinder; die Mütter erhoben ein jämmerliches Schreien und Weinen. Von Stund an wurden Boten zu Wasser und Land an alle Orte herumgeschickt, zu erkundigen, ob man die Kinder oder auch nur etliche gesehen, aber alles vergeblich. Es waren im ganzen hundertunddreißig verloren. Zwei sollen, wie einige sagen, sich verspätet und zurückgekommen sein, wovon aber das eine blind, das andere stumm gewesen, also daß das blinde den Ort nicht hat zeigen können, aber wohl erzählen, wie sie dem Spielmann gefolgt wären; das stumme aber den Ort gewiesen, ob es gleich nichts gehört. Ein Knäblein war im Hemd mitgelaufen und kehrte um, seinen Rock zu holen, wodurch es dem

Unglück entgangen; denn als es zurückkam, waren die andern schon in der Grube eines Hügels, die noch gezeigt wird, verschwunden.
Die Straße, wodurch die Kinder zum Tor hinausgegangen, heißt noch heute die Bungelosenstraße (trommel-tonlose), weil kein Tanz darin geschehen noch Saitenspiel durfte gerührt werden. Ja, wenn eine Braut mit Musik zur Kirche gebracht ward, mußten die Spielleute über die Gasse hin stillschweigen. Der Berg bei Hameln, wo die Kinder verschwanden, heißt der Koppenberg, wo links und rechts zwei Steine in Kreuzform sind aufgerichtet worden. Einige sagen, die Kinder wären in eine Höhle geführt worden und in Siebenbürgen wieder herausgekommen.

BÜCKEBURG

Am Fuße des Harrls zwischen den Ausläufern der Bückeberge und dem Wesergebirge liegt die alte Residenzstadt Bückeburg, die heute 21 000 Einwohner zählt.
In den Jahren 1302–1304 errichtete Graf Adolf V. von Holstein-Schaumburg am Fuße des Harrls an einem kleinen Bach eine Wasserburg, die als Grenzfeste zum Bistum Minden und zur Sicherung der alten Fernhandelsstraße von Minden nach Magdeburg diente. Von 1560 bis 1563 wurde die Wasserburg unter Otto IV. von Schaumburg zu einem vierflügeligen Schloß umgebaut und die Festung modernisiert. Die Entwicklung zur Residenzstadt verdankte Bückeburg Fürst Ernst (1601–1622), der dem Flecken 1609 Stadtrechte verlieh und das Stadtbild Bückeburgs durch einen großzügigen Ausbau entscheidend prägte. Rückschläge brachten der 30jährige Krieg und die Teilung der Grafschaft Schaumburg nach dem Aussterben des Grafenhauses (1640). In Bückeburg regierten ab 1647 die aus Lippe stammenden Grafen von Schaumburg-Lippe. Durch die Tatkraft des Grafen Wilhelm von Schaumburg-Lippe (1748–1777) erwachte Bückeburg zu neuem Leben. Handwerk und Landwirtschaft erfuhren eine wirtschaftliche Förderung, und ein blühendes kulturelles Leben entstand am Hofe. Der Graf berief den Denker, Dichter und Prediger Johann Gottfried von Herder (1744–1803) nach Bückeburg und engagierte Christoph Friedrich Bach, einen Sohn Johann Sebastian Bachs. Im 18. Jh. ließ die naturliebende Fürstin Juliane von Schaumburg-Lippe die einengenden Schanzanlagen und alten Wälle niederlegen und zu einem englischen Landschaftspark umgestalten.
In die Regierungszeit von Fürst Ernst fällt der Bau der von 1611 bis 1615 errichteten barocken Stadtkirche, ein Beispiel frühprotestantischer Kirchenarchitektur. Die im barocken Formenüberschwang gestaltete Fassade ist als hervorragendes Beispiel der Weserrenaissance ebenso sehenswert wie die an Kunstschätzen reiche Innenausstattung mit dem Taufbecken von A. de Vries und der Compenius-Orgel.
Das vierflügelige Bückeburger Residenzschloß mit dem mittelalterlichen Bergfried als Mitte gehört unter Einbeziehung der Stadt zu den frühesten barocken Gesamtanlagen in Deutschland. Vom Innern des Schlosses besonders hervorzuheben sind die 1396 geweihte Schloßkapelle (unter Fürst Ernst zu einem Glanzstück des Frühbarock umgestaltet), der Goldene Saal mit prächtigem Portal (1605), die Gemäldegalerie und die Kunstsammlung. Unweit vom Schloß dienen zwei ehemalige Burgmannshöfe als Museen. In zwei Fachwerkhäusern aus der Mitte des 15. Jh. ist das Hubschraubermuseum untergebracht; das Schaumburg-Lippische Heimatmuseum mit seinen kostbaren Trachten und Gesteinssammlungen befindet sich in einem 1578 errichteten Fachwerkbau. Im Bückeburger Stadtteil Baum mitten im Schaumburger Wald liegt das 1760/61 von Graf Wilhelm von Schaumburg-Lippe erbaute ehemalige Jagdschloß, ein beachtenswertes Beispiel des spätbarocken Klassizismus.

Sehenswert: Schloßanlage der Fürsten zu Schaumburg-Lippe, frühbarocke Stadtkirche, Heimatmuseum, Hubschraubermuseum; in Baum: ehem. Jagdschloß.
Freizeitmöglichkeiten: Reiten, Rudern, Segelfliegen, Tennis, Wandern; Freibad, Hallenbad, Forstlehrpfad, Trimm-dich-Pfad.
Auskunft: Stadt Bückeburg – Verkehrsbüro – 3062 BÜCKEBURG

Die Schaumburger Riesen

In uralter Zeit lebten in unserer Heimat gewaltige Riesen oder Hünen, von denen viele wunderliche Dinge erzählt werden. So holten sie vom Meere her in großen Karren Steine und Sand und bauten daraus unsere Berge auf. Dabei war einmal einem der Riesen Sand in den Schuh gekommen. Als nun der Sand seinen Fuß belästigte, blieb er stehen und schüttelte den Schuh aus. Die Stelle bezeichnen heute die Rehburger Berge (= Höhenzug südwestlich des Steinhuder Meeres). Mit dem anderen Fuße war dieser Riese so tief eingesunken, daß er ihn nur mit Mühe wieder herausziehen konnte. In der Fußspur sammelte sich schnell viel Wasser an, das heute das Steinhuder Meer genannt wird. Die Hünen legten auf den Höhen der Berge feste Burgen an und lebten miteinander in guter Freundschaft. Sie hatten alle Werkzeuge gemeinsam und warfen sich dieselben bei Bedarf zu. So gehörte ihnen auch ein riesiger Backtrog, der bei dem Beckedorfer Hünen stand. Wenn dieser den Backtrog auskratzte, so hörten es seine Freunde und kamen herbei, um beim Ansäuern und Backen zu helfen. Zum Zeitvertreib spielten sie oft Ball mit großen Felsblöcken. Der vom Rehburger Berge warf den Spielball dem Beckedorfer Kameraden zu. Selbst der Hüne auf der Burg bei Hohenrode konnte am Spiel teilnehmen. So flogen denn die Steinbälle hin und her. Mitunter gingen auch einige Würfe fehl. Dann blieben die Steine in den Tälern liegen, wo wir sie heute noch oft finden. – Eines Tages aber war es mit der Herrlichkeit unserer Hünen gänzlich vorbei. Und das kam so. Der Beckedorfer hatte sich im Walde schlafen gelegt. Nach einer Weile kratzte er sich hinter dem Ohr, weil sich dort ein Bienenschwarm niedergesetzt hatte. Die anderen Riesen meinten, er habe den Backtrog ausgekratzt. Sie kamen deshalb schnell herbei. Als sie nun erfuhren, daß nicht gebacken werden sollte, wurden sie ärgerlich. Bald kam es zu einem heftigen Streit. Der Beckedorfer aber war stärker als seine Nachbarn. Er tötete sie und zerstörte ihre Burgen. Dann zertrümmerte er auch seine eigene Burg, weil er hier nun nicht länger wohnen mochte, und zog in ein anderes Land.

BAD OEYNHAUSEN

Das nordrhein-westfälische Staatsbad Oeynhausen mit seinen rund 50000 Einwohnern breitet sich in einer landschaftlich reizvollen Lage am großen Weserbogen unweit der Porta Westfalica zwischen dem lippischen Bergland und dem Südhang des Wiehengebirges aus.
Das Gebiet um den Bad Oeynhausener Stadtteil Rehme unweit der Mündung der Werre in die Weser war schon in der jüngeren Steinzeit besiedelt. Im Jahre 753 wurde Rehme, in das der Frankenkönig Pippin der Jüngere (714–768) und später auch sein Sohn Karl der Große auf ihren Heerzügen in das Gebiet der Sachsen kamen, erstmalig urkundlich erwähnt. Schon in der Anfangsphase der Christianisierung des Sachsenlandes dürfte in Rehme eine Kirche gegründet worden sein, denn Rehme war im Mittelalter Sitz eines Archidiakonats des Bistums Minden, ein Vorrecht, das fast immer nur die ältesten Kirchen besaßen.
Nach der Entdeckung einer Salzquelle auf dem Gebiet der Gemeinde Rehme ließ der preußische Staat im Jahre 1750 eine Saline anlegen, die den Namen Neusalzwerk erhielt. In der ersten Hälfte des 19. Jh.s erbohrte der Oberbergrat Karl Freiherr von Oeynhausen bei Neusalzwerk Thermalbrunnen mit natürlicher Kohlensäure, die alsbald zu Heilzwecken genutzt wurden. 1848 wurde der Badebezirk Bad Oeynhausen geschaffen, der von König Friedrich Wilhelm IV. von Preußen zu Ehren des Erbauers der ersten großen Heilquelle, des Freiherren von Oeynhausen, seinen Namen erhielt. Im Jahre 1859 wurden Bad Oeynhausen Stadtrechte verliehen. Im Zuge der kommunalen Neugliederung vereinigte man die Gemeinden des Amtes Rehme im Jahre 1973 mit der Stadt Bad Oeynhausen.
Der Gartengestalter und Direktor der königlich preußischen Gärten P. J. Lenné schuf 1853 die noch heute bestehenden Grundzüge der Bad Oeynhauser Kuranlagen. Vornehmlich um die Jahrhundertwende entstand um den Kurpark (Neues Kurhaus 1908 fertiggestellt) herum das noch heute dominierende Erscheinungsbild des Staatsbades. Im Jahre 1926 wurde von Bergrat Jordan der nach ihm benannte »Jordansprudel«, die größte kohlensäurehaltige Thermalsolequelle der Erde erbohrt, die mit gewaltigem Druck bis auf eine Höhe von 52 m springt.
Am Rande des Kurparks ist in einem Bauernhaus aus dem Jahre 1739 das Heimatmuseum untergebracht. Es gibt einen Überblick über Kultur und Brauchtum der vormals bäuerlichen Landschaft. Unweit des Haupteinganges des Kurparks befindet sich in der Paul-Baehr-Villa, einem Haus der Gründerzeit, das Deutsche Märchenmuseum und Wesersagenmuseum. In verschiedenen Abteilungen erfährt der Besucher sehr viel Wissenswertes über Märchen sowie über die Sagenlandschaft der Weser und ihrer Quellflüsse. Weitere Anziehungspunkte sind das norddeutsche Auto- und Motorradmuseum mit 300 Oldtimern und das vorgeschichtliche Steinkammergrab (2200 v. Chr.) im Stadtteil Werste. Die heutige Pfarrkirche von Rehme stammt in ihrem Kern aus dem 12. Jh.; Seitenschiffe, Turm und Sakristei wurden Ende des 19. Jh.s errichtet.

Sehenswert: Kurpark mit Kurhaus, Jordansprudel, Kirche in Rehme, Deutsches Märchenmuseum und Wesersagenmuseum, Heimatmuseum, Auto- und Motorradmuseum, Steinkammergrab.
Freizeitmöglichkeiten: Angeln, Boccia, Dampferfahrten, Kutschfahrten, Malkurse, Minigolf, Riesenschach, -dame, -mühle, Reiten, Segelfliegen, Tennis, Wandern; Freibad, Hallenbad, Rollschuh- und Eislaufbahn, Tiergehege, Waldsportpfad.
Auskunft: Stadt Bad Oeynhausen – 4970 Bad Oeynhausen

Wie die Leiter in Oeynhausens Wappen kam

Seinen Aufstieg zum Weltbad verdankt das alte Neusalzwerk dem Genie des preußischen Bergrats, Freiherr von Oeynhausen. Er ließ eine Tiefenbohrung vornehmen und stieß damit auf eine starke Salzquelle, womit endlich die Grundlage für ein bedeutendes Heilverfahren gegeben war.
Diesem Manne zu Ehren, dessen Geschlecht heute noch auf der Grevenburg im Kreis Höxter zu Hause ist, hat unser Badeort nicht nur den Namen Oeynhausen angenommen, sondern auch das Wappen mit der Leiter. Und über die Entstehung dieses Wahrzeichens, das auch Schildzeichen unserer Stadt geworden ist, hat sich eine bemerkenswerte Wappensage erhalten: Im frühen Mittelalter entbrannte bekanntlich der Investiturstreit zwischen der Kirche und dem deutschen Kaiser. Infolge dieses Kampfes war der Kaiser Heinrich IV. (1056–1106) mit dem Kirchenbann belegt worden. Die Strafe lastete schwer auf ihm, denn keine Kirche, keine gastliche Türe durfte sich vor ihm öffnen. Der Herr aller Deutschen mußte heimatlos durch das Vaterland schleichen, wo er sonst mit Ehrerbietung empfangen worden war. In dieser Not gelangte der landflüchtige Monarch eines Tages vor ein Haus. Wohl war auch hier die Pforte verrammelt und verriegelt. Aber siehe da, zu seiner Freude lehnte eine Leiter einladend vor einem Fenster im Oberstock. Da rief der Kaiser freudig aus: »O eyn Haus ist mir treu geblieben!« Hurtig erstieg er die gastlichen Sprossen und gelangte somit in das Innere. Bei der nun folgenden Tafel verlieh der Fürst seinem Wohltäter den Namen »O eyn Haus« oder Oeynhausen, als Erinnerung an seinen Freudenruf vor der Leiter. Und außerdem setzte er diese Leiter in das Wappenschild der treuen Familie, die sich von nun ab Freiherren von Oeynhausen nennen durfte.

PORTA WESTFALICA

Die »Porta Westfalica«, auch westfälische Pforte genannt, ist ein gewaltiger Einschnitt zwischen Weser- und Wiehengebirge, durch den der Weserfluß in die Norddeutsche Tiefebene fließt. Durch die Gebietsneugliederung im Jahre 1973 vereinigten sich fünfzehn Gemeinden des Amtes Hausberge im Naturpark »Nördlicher Teutoburger Wald – Wiehengebirge und Wesergebirge« und gaben sich den Namen Porta Westfalica. Die Stadtteile Hausberge und Barkhausen der 35 000 Einwohner zählenden Stadt Porta Westfalica sind staatlich anerkannte Luftkurorte.
Geschichtlich spielte die Westfälische Pforte schon immer eine große Rolle. Besonders hervorzuheben sind die Auseinandersetzungen zwischen Römern und Germanen sowie die erbitterten Schlachten des Sachsenherzogs Wittekind gegen Karl den Großen. Der zentrale Ort Hausberge entstand unweit der im Jahre 1000 nachgewiesenen Schalksburg, die im 11. Jh. in den Besitz der Edelherren von Berge gelangte und nach ihnen bald »Haus zum Berge« genannt wurde. 1397 vermachte Otto III. von Berge die Herrschaft zum Berge, die wohl dem späteren Amt Hausberge entsprach, dem Domkapitel zu Minden. Im 16. Jh. wurde die Burg schloßartig ausgebaut, doch schon im 18. Jh. abgebrochen. Die Verleihung der Stadtrechte an den Flecken Hausberge durch Preußen erfolgte im Jahre 1720. – Auf der anderen Weserseite, am Ostende des Wiehengebirges, wurde wahrscheinlich im 13. Jh. die 1306 erwähnte Burg Wedigenstein errichtet. Die im Besitz der Edelherren von Berge befindliche Burg kam 1397 an Minden und wurde bischöfliche Burg. Von der Burg Wedigenstein ist nichts mehr erhalten, sie wurde im 18. Jh. bis auf eine 1615 erbaute Scheune abgetragen.
Ein besonderer Anziehungspunkt der Stadt Porta Westfalica ist das in den Jahren 1892–1896 von dem Berliner Architekten B. Schmitz aus Porta-Sandstein errichtete monumentale Kaiser-Wilhelm-Denkmal (das Standbild Kaiser Wilhelms I. von K. Zumbusch) auf dem Wittekindsberg. Von den Aussichtsterrassen bietet sich ein herrlicher Rundblick auf das Wesertal und die Norddeutsche Tiefebene. Auf dem Kamm des Wiehengebirges liegt die aus karolingischer Zeit stammende Wittekindsburg, eine sächsische Fluchtburg mit 700 m langen und 100 m breiten Wallanlagen. Bei der Wittekindsburg sprudelte die heute versiegte Wittekindsquelle, wo Sachsenherzog Wittekind zum Christentum bekehrt worden sein soll. Nicht weit von »Wittekinds« Burg erhebt sich die 1224 erstmalig urkundlich erwähnte romanische Margarethenklus-Kapelle, auch Wittekindskapelle genannt. Am Fuße des Wittekindsberges befindet sich die Goethe-Freilichtbühne Barkhausen. Der Steinbruch, der entstand, als zum Bau des Kaiser-Wilhelm-Denkmals Sandstein gebrochen wurde, ist eine großartige Naturkulisse bei den Freilichtaufführungen. Die Kapelle in Barkhausen, ein schlichter rechteckiger Saalbau aus Porta-Sandsteinen, wurde 1771 errichtet. Sehenswert in Hausberge sind die Pfarrkirche mit dem Turm von 1599, das Naturschutzgebiet Vogelparadies an der Weser und auf dem Jakobsberg die Porta-Kanzel, ein einzigartiger Aussichtspunkt hoch über der Weser, sowie die Fernsehrelaisstation »Bismarckturm« mit Aussichtsplattform.

Sehenswert: Naturpark Nördlicher Teutoburger Wald – Wiehengebirge und Wesergebirge, Kaiser-Wilhelm-Denkmal, Wittekindsburg und Wittekindsquelle, Margarethenklus-Kapelle, Kapelle in Barkhausen, Pfarrkirche Hausberge, Porta-Kanzel, Bismarckturm.
Freizeitmöglichkeiten: Angeln, Camping, Dampferfahrten, Flugsport, Minigolf, Reiten, Wandern, Wassersport; Badezentrum mit Hallen- und Freibadanlage, Kneipp-Ambulatorium.
Auskunft: Stadt Porta Westfalica – Fremdenverkehrsamt – 4952 PORTA WESTFALICA

Die Entstehung der Porta Westfalica

Einst in uralten Zeiten quälte der Teufel die Bewohner des Wesertales, ihm zu dienen, aber sie wollten nicht. Da dämmte er die Wallücke, eine Schlucht im Gebirge unweit Bergkirchen in der zu dem nordöstlichen Teile des Kreises Herford gehörigen Herrschaft Vlotho, durch welche die Weser ihr Wasser in die Ebene nach Norden ergoß, und nun schwoll der Strom im Tale an und stieg fast bis zur Krone des Gebirges. Die Leute retteten sich auf die Berge, aber immer höher wurde das Gewässer und immer größer die Not der armen Menschen. Plötzlich kam ein Gewitter und ein gewaltiger Sturm, ein Blitzstrahl spaltete das Gebirge und bildete eine Schlucht, durch die Bergscharte floß das Wasser ab, und die Täler und Tiefen wurden nach und nach frei.
Als der Teufel sah, daß ihm das Spiel verdorben war, geriet er in Wut, erhob sich in die Luft, eilte in die Höhen, packte einen ganzen Berg, nahm ihn auf den Rücken und wollte ihn in die Schlucht stopfen und so die Bergscharte zudämmen. Doch die Last wurde ihm unterwegs zu schwer; an der Grenze des heutigen Lippeschen Landes fiel er mit seiner Bürde zu Boden, und die Masse begrub ihn. Die Höhe heißt jetzt noch der Bonstapel oder Bobenstapel, und noch soll der Teufel dort sitzen und von Zeit zu Zeit rumoren. Die Bergschlucht aber ist die Porta Westfalica.

MINDEN

Nördlich der Porta Westfalica, am Wasserstraßenkreuz von Weser und Mittellandkanal, liegt die 84000 Einwohner zählende ehemalige Bischofsstadt Minden.
Minden, erstmals 798 urkundlich erwähnt, verdankt seine Entstehung Karl dem Großen, der an der Weserfurt vor dem Paß des Wiehengebirges im Jahre 800 einen Bischofssitz gründete. 997 erhielt Minden durch Otto II. Markt-, Münz- und Zollrecht; wohl um 1180 war die Entwicklung zur Stadt abgeschlossen. Stadtherr in Minden war ursprünglich der Bischof, dessen Position aber schon 1231 durch die Bildung eines Stadtrates entscheidend geschwächt wurde. Die Stadt Minden war Mitglied des Rheinisch-Westfälischen Städtebundes und gehörte seit Ende des 13. Jh.s der Hanse an. 1529 wurde die Reformation eingeführt, und 1648 kamen Stadt und Bistum Minden als weltliches Fürstentum an Brandenburg-Preußen.
Wahrzeichen von Minden ist der 1000jährige Dom mit seinem wuchtigen Westwerk, das in seinem Kern aus dem 9.–11. Jh. stammt. Der Innenraum des Domes überrascht durch seine Weite und Größe, durch seine Licht- und Farbenfülle. Die Fenster der dreischiffigen Hallenkirche sind berühmt wegen ihres Maßwerkes. Das dunkel verglaste Hochchor rafft den großen Raum und gibt ihm im oberen Teil eine besinnliche Ruhe. In seinem Inneren beherbergt der Dom zahlreiche Kunstwerke und sakrale Kostbarkeiten (Bronzekruzifixus, 11. Jh., Apostelfries, 1250–1270; Domschatz: Elfenbeindeckel mit der Himmelfahrt Christi, 2. Hälfte 9. Jh., Reliquienschreine des hl. Petrus, um 1070, und der hl. Valeria, Anfang des 13. Jh.). Sehenswert in Minden sind weiterhin das Rathaus mit prachtvollem Laubengang aus dem 13. Jh.; das 1547 als hansisches Kaufhaus errichtete Hanse-Haus; die Alte Münze, das älteste Steinhaus der Stadt aus dem 13. Jh.; das Haus Hagemeyer, 1592 als Wohnanlage für den damaligen Bürgermeister von Minden erbaut; die Museumszeile, Giebelhäuser aus dem 16. und 17. Jh.; das Windloch, das kleinste Haus Mindens; die historische Schwedenschänke; das Barockschlößchen aus dem Jahre 1719, heute Stadtbücherei; die St.-Simeons-Kirche (13. Jh.), die St.-Marien-Kirche (12.–14. Jh.), einst als Klosterkirche für Benediktinerinnen erbaut, und die St.-Martini-Kirche (1025 gegründet) mit dem spätgotischen, reich geschnitzten Chorgestühl, der Barockorgel, den Epitaphien und dem Taufbecken aus dem Jahre 1583. – Recht romantisch ist die Fischerstadt, auch Flint genannt. Wer einmal durch die schmalen Gassen und Gäßchen mit den alten Gaslaternen, dem buckligen Pflaster, den gestaffelten Giebeln und den malerischen Winkeln streift, der möchte meinen, hier sei die Zeit stehengeblieben.
Ein ganz andres Minden kann man am von Schiffen stark befahrenen Wasserstraßenkreuz mit seinen Schleusenanlagen erleben. Im Norden der Stadt wird hier der Mittellandkanal, dessen Wasserspiegel 13 m über dem der Weser liegt, über den Weserstrom geführt. Die zu diesem Zweck errichtete Kanalbrücke ist mit 375 m Länge das größte Brückenbauwerk für die Binnenschiffahrt in Europa.

Sehenswert: 1000jähriger Dom, ältestes Rathaus Westfalens, Altstadt mit St.-Marien-Kirche und St.-Simeons-Kirche, Museumszeile, Alte Münze, Hanse-Haus, Schwedenschänke, Haus Hagemeyer; Wasserstraßenkreuz mit großer Schachtschleuse und Kanalüberführung.
Freizeitmöglichkeiten: Angeln, Bierexpreß (Oldtimer-Zug), Camping, Dampferfahrten, Minigolf, Reiten, Tennis, Wandern; Freibad, Hallenbad, Heilquellenkurbetrieb (Solbad Minden), Freizeitpark mit Märchenspinnstube und Museumseisenbahn, Mindener Museum für Geschichte, Landes- und Volkskunde, Botanischer Garten.
Auskunft: Verkehrs- und Werbeamt der Stadt Minden – 4950 MINDEN

Burg Wisingen, Min-Din, Minden

Unter den vielen Burgen seines Landes war Wittekind eine besonders lieb. Die lag nordwärts vom großen Weserdurchbruch am linken Ufer des Stromes. Wisingen hieß diese Festung in seinen Tagen. Und da der Sachsenherzog nun zu dem neuen Glauben gefunden hatte, so bat er den König Karl: »Teile mir doch zu meiner gründlichen Unterweisung den Priester zu, in dessen Gottesdienst mir die Wundererscheinung des Jesuskindes geworden ist.« Antwortete Karl: »Ich will dir geben, was dein Herz verlangt und mehr noch, du sollst in ihm einen Bischof haben, wenn du eine würdige Wohnstadt für ihn errichtest.« »So sei es denn«, ereiferte sich der Herzog. »Meine Burg Wisingen an der Weser ist reich und geräumig. Da ist wohl Platz für dich und mich. Min un Din schall de Borch sien!« Da sprach Carolus Magnus: »Alsdann wollen wir sie auch nach dieser Teilung benennen: Min un Din soll sie fernerhin heißen.« Und davon ist in späterer Geschlechter Mund der Name Minden aufgekommen.
Herzog Wittekind, welcher mit Feuer und Schwert so lange Jahre gekriegt und geheert hatte, gab sich nun der Lust des Bauens hin. Er selber wies den Bauleuten den Platz an, wo der Dom sich erheben sollte, und steckte die Maße in den Baugrund. Zugleich errichtete er auf der Burg Wisingen eine bischöfliche Residenz für den heiligen Herkumbert, bei dessen Opferhandlung ihm die Christusgestalt erschienen war. Und also ist zu Wittekinds Tagen aus der Kriegsfeste Wisingen eine Burg des Friedens geworden, welcher die Stadt Minden ihren Ursprung und Namen verdankt.

NIENBURG

Die Stadt Nienburg an der Weser, zwischen Wäldern, Heide und Moor gelegen, hat 34000 Einwohner.
Der 1025 erstmals urkundlich erwähnte Ort war Sitz der Grafen von Roden. Um 1215 ging Nienburg, das 1225 erstmalig als Stadt bezeichnet wurde, in den Besitz der Grafen von Hoya über. Die wohl im 11. Jh. gegründete Nienburg (= neue Burg) war von 1345 bis 1582 Residenz der Grafen von Hoya. Wegen der strategischen Lage als Weserübergang und Kreuzungspunkt wichtiger Heer- und Handelsstraßen bauten die Grafen von Hoya und nach ihrem Aussterben die welfischen Herzöge Nienburg zu einer starken Festung aus. 1625 belagerte Tilly mit 40000 Mann die Festung Nienburg, doch vermochte er sie nicht einzunehmen. Die Nienburger wehrten sich tapfer, und erst Pest und Hunger zwangen die Stadt 1627 zur Aufgabe.
Im Stadtkern ist der mittelalterliche Charakter von Nienburg trotz vieler Um- und Neubauten noch recht gut erhalten. Als Wahrzeichen der Stadt erhebt sich die 1441 geweihte Martinskirche, ein spätgotischer Backsteinbau mit wertvollen alten Grabmalen und Bildwerken im Innern. Das anmutige Rathaus von Nienburg stammt vermutlich aus dem 14. Jh.; die wirkungsvolle Giebelfront im Stil der Weserrenaissance in der Langen Straße wurde Ende des 16. Jh.s geschaffen.
Sehenswert sind weiterhin das Erkerhaus, ein mächtiges breitgiebeliges Bürgerhaus; das Haus des Goedecke Schünemann, eines der schönsten Fachwerkhäuser aus der Mitte des 16. Jh.s; der von den Königen Georg I. und II. von Großbritannien im 18. Jh. auf ihren Hannoverreisen häufig benutzte »Posthof« und das in einem klassizistischen Haus in der Leinstraße untergebrachte Museum für die Grafschaft Hoya, Diepholz und Wölpe. Von dem Schloß der Grafen von Hoya am Weserwall ist als dessen Rest nur noch der Schloßturm, der sogenannte Stockturm, erhalten geblieben, in dem früher die Gefangenen »im Stock lagen«.

Sehenswert: Martinskirche, Rathaus, Fachwerkhäuser, Stockturm, Wallanlagen, Heimatmuseum.
Freizeitmöglichkeiten: Angeln, Minigolf, Reiten, Tennis, Wandern; Wassersport, Freibad, Hallenbad, Waldsauna.
Auskunft: Verkehrsamt der Stadt Nienburg – 3070 Nienburg (Weser)

Die glühenden Kohlen in Nienburg

Auf dem Burgmannshof einer angesehenen Freisassenfamilie erwachte eines Nachts die Magd sehr früh; es war ganz hell, und sie meinte schon, sich verschlafen zu haben und eilte, das Feuer in der Küche zu schüren. Da gewahrte sie, wie sie durch das Küchenfenster in den Hof hinabsah, einen Haufen glühender Kohlen und ging eilend hinab, um davon um so schneller für ihr Herdfeuer Brand zu gewinnen. Drunten lag bei dem Kohlenfeuer ein großer schwarzer Pudel, welcher sie mit seinen glühenden Augen beinah grimmig anschaute; sie aber fuhr, ohne sich an diesen Pudel zu kehren, mit ihrer Schaufel in die Kohlen hinein und kehrte mit der Schaufel voll in das Haus zurück.

Aber als sie die Kohlen auf den Herd schüttete, so glühten sie nicht mehr, sondern waren erloschen. Sofort lief die Magd noch einmal hinaus und holte wieder eine Schaufel voll – es ging aber gerade wie beim ersten, die Kohlen waren tot. Und nochmals rannte die geschäftige Magd hinaus; da aber erscholl eine tiefe Stimme: »Du höre, dieses ist das letzte Mal.«
Die Magd erschrak, und es befiel sie ein Bangen, doch sprach sie kein Wort und eilte nur, daß sie wieder an ihren Herd kam. Aber die Kohlen, welche sie zum dritten Male mitbrachte, waren abermals erloschen – und jetzt hob die Turmuhr auf der Stadtkirche aus und schlug – und die Magd horchte und wollte gern wissen, wie früh es wäre, und zählte drei – vier – sechs – sieben – so spät konnte es doch nicht sein – acht – neun – was ist das? und die Uhrglocke schlug immerzu und schlug zwölf – und im Hofe verschwand das Kohlenfeuer, verschwand der große Pudel.
Der Magd gruselte fürchterlich – sie eilte in ihre Bettkammer, kroch tief unter die Decke und betete und sagte alle Gesänge her, die sie konnte und wußte. Am Morgen verschlief sie sich in aller Form, und statt ihrer trat der Freisasse zuerst in die Küche; er traute seinen Augen kaum, als er auf dem Herde statt glühender Kohlen einen Haufen glitzender Goldstücke liegen sah, nahm den Schatz, der ihm damals sehr gut zupasse gekommen sein soll, gab jedoch auch der Magd ihren guten Anteil von dem durch sie gewonnenen Reichtum.

VERDEN

Am Rande der Lüneburger Heide, unweit des Zusammenflusses von Weser und Aller, liegt auf einem Geestvorsprung auf dem rechten Ufer der Aller die 24000 Einwohner zählende Reiterstadt Verden.
Die große Fernstraße vom Rhein nach Skandinavien führte bei Verden über die Aller, an deren Furt sich zwei ursprünglich selbständige Siedlungen entwickelten. Nach 800 erhob vermutlich Ludwig der Fromme, der Nachfolger Karls des Großen auf dem Kaiserthron, den sächsischen Ort Verden zum Bistum. Im Jahre 985 erfolgte die Verleihung von Markt-, Münz- und Zollrechten durch Kaiser Otto III. an Bischof Erp. 1192 wurde Verden, das unter Bischof Yso (1205–1231) einen großen Aufschwung nahm, erstmalig urkundlich als Stadt bezeichnet. Nach dem Ende des 30jährigen Krieges fielen das Stift und die Stadt Verden als Reichslehen an die schwedische Krone. Das Bistum Verden wurde aufgelöst; 1679 kam Verden an Dänemark und 1715 an das Kurfürstentum Hannover.
Der von 1000 bis 1490 erbaute Dom von Verden, eine mächtige dreischiffige gotische Hallenkirche mit großartigen Proportionen im Innern (Ausstattung: gotischer Levitenstuhl, 14. Jh.; romanischer Taufstein; Bischofsgrabmale), überragt mit seinem platingrünen Kupferdach die Stadt und die weite Talebene. Ihm zur Seite stehen die ehrwürdigen Kirchen St. Andreas (13. Jh.), eine einschiffige romanische Kirche mit seltener Messinggrabplatte (Bischof Yso), sowie St. Johannis (12. Jh.), ein Backsteinbau mit bedeutendem Stuckrelief (Jüngstes Gericht) und Decken- und Wandmalereien. Das dreigeschossige Ackerbürgerhaus aus dem Jahre 1577, heute Sitz der Bibliothek des »Deutschen Pferdemuseums«, ist mit seinem reichhaltig geschnitzten Fachwerk mit Ranken und Blattwerk ein Meisterwerk handwerklicher Kunst des auslaufenden Mittelalters. Sehenswert in der Altstadt sind weiterhin das Heimatmuseum mit dem ältesten Speer der Welt (150000 Jahre), das gotische Rathaus von 1729/30, zahlreiche Bürgerhäuser aus dem 16.–19. Jh. sowie Reste der ehemaligen Stadtmauer. Am Rande der Stadt liegen der Sachsenhain, eine Erinnerungsstätte an die Hinrichtung von 4500 Geiseln der aufständischen Sachsen im Jahre 782 durch Karl den Großen, und das Freilichtparadies Märchenland Verden, ein 12 ha großer Märchenwald mit lebensgroßen sprechenden Figuren.

Sehenswert: Dom, St.-Andreas- und St.-Johannis-Kirche, Rathaus, Bürgerhäuser, Heimatmuseum, Deutsches Pferdemuseum, Sachsenhain, Märchenland Verden.
Freizeitmöglichkeiten: Angeln, Camping, Flugsport, Freischach, Kutschfahrten, Minigolf, Reiten, Tennis, Wandern, Wassersport; Freibad, Hallenbad, Trimm-dich-Pfad.
Auskunft: Verkehrsamt der Reiterstadt Verden – 2810 VERDEN (Aller)

Von Klaus Störtebeker und Godeke Michels

Klaus Störtebeker ist – so erzählt die Sage – bevor er ein Seeräuber geworden, ein Edelmann gewesen und zu Halsmühlen bei Verden geboren. Es behaupten freilich auch an der Ostsee viele Städte und Orte, daß er dort geboren sei, z.B. Wismar, aber das mag hier unerörtert bleiben. In seinen jungen Jahren hat er lustig gelebt, hat Fehden ausgefochten, turniert und gerauft, dabei geschmaus't und gezecht und darnach in Hamburg mit andern wilden Gesellen so lange bankettiert und gewürfelt bis er Hab und Gut verpraßt hatte. Und wie ihm nun zuletzt die Hamburger schuldenhalber sogar sein ritterlich Gewand und Rüstzeug genommen und ihn der Stadt verwiesen haben, da ist er unter die Vitalienbrüder gegangen und ein Seeräuber geworden, wie vor ihm noch keiner gewesen ist.

Derzeit war das Haupt derselben Godeke Michels (nach heutiger Art zu sprechen: Gottfried Michaelsen), ein tapferer gewaltiger Mann, auch guter Leute Kind, über dessen Heimat sich Holstein, Mecklenburg, Pommern und Rügen streiten; andere aber nennen eine verfallene Burg bei Walle im Verdenschen als seinen Geburtsort. Der hat den neuen Genossen mit Freuden aufgenommen; und nach abgelegten Proben seiner ungemeinen Kraft (denn er hat eine eiserne Kette wie Bindgarn zerreißen können), wie auch seiner Unerschrockenheit und Tapferkeit, hat er ihm gleich ein Schiff untergeben und hernach den Oberbefehl über die ganze Verbrüderung mit ihm geteilt. Und weil der neue Genoß, der seinen adligen Namen abgelegt, so ganz unmenschlich trinken konnte, daß er die vollen Becher immer in einem Zuge ohne abzusetzen hinunterstürzen konnte und dies Becherstürzen täglich unzählige Male wiederholte, so nannte man ihn den Becherstürzer oder plattdeutsch Störtebeker.

Als die Raubgesellen einstmals die Nordsee recht rein geplündert hatten, fuhren sie nach Spanien, um dort zu rauben. Störtebeker und Godeke Michels machten wie immer gleiche Teile der Beute, nur die Reliquien des heiligen Vincentius, die sie aus einer Kirche genommen, behielten sie für sich und trugen sie seitdem unter ihrem Wams auf der bloßen Brust. Und daher ist's gekommen, daß sie hieb- und schußfest gewesen sind; kein Schwert und Dolch, keine Armbrust, Büchse oder Kartaune hat sie verwunden, geschweige denn töten können – so ging die Sage.

Und nach ihrer Vertreibung aus der Ostsee haben sie von ihren Schlupfwinkeln auf Rügen und andern Orten lassen müssen. Darauf haben sie aber in Ostfriesland gute Freunde gewonnen und dort ihren Raub bergen und verkaufen können. Sonderlich bei Marienhafe haben sie viel verkehrt, und daselbst gibt's noch viele Erinnerungen an Störtebeker. Der Häuptling, Keno then Brooke, wurde sein Schwiegervater, denn die schöne Tochter desselben verliebte sich in den kühnen mächtigen Mann und folgte ihm auf sein Schiff und in sein schwankend' Reich.

Wenn Störtebeker Gefangene machte, die ein Lösegeld versprachen, so ließ er sie leben. Waren sie aber arme Teufel und alt oder schwächlich dazu, so wurden sie gleich ohne weiteres über Bord geworfen. Erschienen sie ihm jedoch tüchtig und brauchbar, so machte er erst eine Probe mit ihnen. Wenn sie nämlich seinen ungeheuren Mundbecher voll Weins in einem Zuge leeren konnten, dann waren sie seine Leute, dann nahm er sie als Gesellen an. Die es aber nicht konnten, die wurden auch abgetan.

Störtebeker und Godeke Michels haben auch zuweilen Reue über ihr Leben gefühlt. Und deshalb soll jeder von ihnen dem Dom zu Verden sieben Fenster, zur Abbüßung ihrer sieben Todsünden, geschenkt haben; das Störtebekersche Wahrzeichen, zwei umgestürzte Becher, ist in einem dieser Fenster angebracht. Auch Brotspenden an dortige Arme haben sie gestiftet. Und hierin finden viele eine Bestätigung der Angabe, daß beide Verdensche Landeskinder gewesen seien.

Anno 1400 nun ließ die Hanse eine Flotte nach Ostfriesland gehen, um dem Unwesen zu steuern. Die Hamburger Schiffe befehligten die Ratsherren Albert Schreye und Johann Nanne. Sie besiegten die dort liegenden Vitalianer, erschlugen viele Raubgesellen und übten Standrecht an den Gefangenen. Dann eroberten sie Stadt und Burg Emden und legten Hansische Besatzung hinein. Auch Keno then Brooke mußte seine Burg zu Aurich abtreten, weil er's, gegen frühere Zusage, doch wieder mit Störtebeker gehalten hatte, und mußte dann nach Lübeck gehen, sich zu entschuldigen beim Hansatage.

Nun heißt es: Wie die beiden Hamburgischen Ratsherren soeben den neuen Friedensvertrag mit Keno abgeschlossen und die Halle verlassen hätten, da sei Störtebeker aus seinem Versteck hereingetreten und habe sich mit dem alten Keno über die Hamburger Herren lustig gemacht, die sich wieder von ihnen anführen ließen. Indem aber sei Herr Nanne, der seine Handschuhe vergessen gehabt, unversehens in die Halle zurückgekommen und habe die neue Verräterei gemerkt. Darum sei auch alsbald der Krieg wieder ausgebrochen.

Aber solange Störtebeker und Godeke Michels am Leben waren, durfte man im Kampfe nicht nachlassen. Darum wurde 1402 aufs Neue eine Hamburgische Flotte ausgerüstet unter dem Oberbefehl der eben genannten Ratsherren. Das Hauptschiff hieß »die bunte Kuh«, oder wie es in einem alten Volksliede genannt wird: »die durch das Meer brausende *bunte Kuh* aus Flandern mit den starken Hörnern«. Dies Schiff befehligte der Eigentümer desselben, ein junger Kriegsheld, der sich unsterblichen Ruhm bei den Hamburgern erworben hat: *Simon von Utrecht.*

Die Vitalianer lagen bei Helgoland, wo sie auf die Hamburger Englandfahrer lauerten, welche nun von den Kriegsschiffen begleitet in See stachen.

Gegen Dunkelwerden näherte sich die Hamburgische Flotte. Es heißt: da wäre ein Blankeneser Fischer in seiner Jolle heimlich an das Hinterteil des größten der Piratenschiffe gekommen und hätte geschmolzenes Blei in die

Angelröhre des Steuerruders gegossen, wodurch dieses festgelötet, also unbrauchbar gemacht worden sei.
Am anderen Morgen aber begannen die Hamburger den Kampf; das alte Volkslied sagt, der Kampf habe drei Tage und drei Nächte gedauert; jedenfalls erst nach langer verzweifelter Gegenwehr Störtebekers und seiner Genossen (welche das ihnen als Gefangenen bevorstehende Los zu gut kannten, um nicht ihr Leben so teuer als möglich zu verkaufen), neigte sich zuletzt ein vollständiger Sieg auf die Seite der Hamburger.
Die »bunte Kuh« unter Simon von Utrecht verrichtete Wunder der Tapferkeit; sie ging »brausend durch die wilde See« und rannte mit »ihren starken Hörnern« gleich das erste Piratenschiff so kräftig an, daß dessen Vorderkastell zerbarst. Das Nähere von Simons' und der übrigen Hamburger Taten ist uns nicht aufgezeichnet, nur der glorreiche Erfolg dieses Seetreffens. Ein Teil der Feinde entfloh beizeiten; viele der Piraten waren erschlagen oder ins Meer geworfen; ihre Schiffe wurden mit reichen Ladungen an Tuchen, Wachs, Baumwolle usw. erbeutet; als höchster Siegespreis aber durfte die Gefangennehmung des unverwundbaren Störtebekers gelten, der mit einem Unterbefehlshaber Wichmann und 70 Gemeinen in die Hände der Hamburger fiel.
In Hamburg machte man, kraft des vom Kaiser verliehenen Blutbannes über Seeräuber, kurzen Prozeß mit den Gefangenen. Störtebeker saß in einem Keller des Rathauses, der, solange dasselbe gestanden hat, »Störtebekers Loch« genannt worden ist. Die Sage erzählt: Als man sein Todesurteil ihm verkündet, hat er nicht gern daran gemocht und hat für Leben und Freiheit dem Rat eine goldene Kette geboten, so lang, daß man den ganzen Dom, ja die Stadt damit umschließen könne; die wolle er aus seinen vergrabenen Schätzen herbeischaffen. Der Rat aber hat solch' Anerbieten mit Entrüstung von sich gewiesen und der Justiz freien Lauf gelassen.
Schon folgenden Tags fand die Hinrichtung auf dem Grasbrook statt. Das Volkslied sagt, daß diese 72 wilden verwegenen Gesellen, die ihrer Bitte gemäß im besten Gewande so stattlich und mannhaft hinter Trommlern und Pfeifern in den Tod geschritten, von den Weibern und Jungfrauen Hamburgs sehr beklagt worden seien. Der Scharfrichter Rosenfeld enthauptete sie und steckte ihre Köpfe auf Pfähle hart am Elbstrande.

WORPSWEDE

Das Künstlerdorf Worpswede, ein staatlich anerkannter Erholungsort am Rande des Teufelsmoores, liegt 25 km nördlich von Bremen. Worpswede bildet als weiträumiges Waldhufendorf mit den umliegenden Reihendörfern aus der Moorkolonisation eine Großgemeinde, in der 8000 Menschen als Bauern, Handwerker, Künstler, Kaufleute wohnen und arbeiten.
Worpswede, das dem Kloster Osterholz zehntpflichtig war, wurde im Jahre 1218 erstmals erwähnt. Nach dem 30jährigen Krieg begann Landgraf Friedrich von Hessen-Eschwege mit dem Bau eines Schlosses, an das nur noch Flurnamen erinnern, auf dem weit über das Moor hinausragenden Weyerberg. Die eigentliche Entwicklung des Ortes setzte Mitte des 18. Jh. ein, als Worpswede Ausgangspunkt für eine umfangreiche Moorkolonisation des Teufelsmoores wurde. Kurz vor der Jahrhundertwende entdeckte der Maler Fritz Mackensen das idyllische Bauerndorf am Teufelsmoor und begründete mit seinen Freunden Otto Modersohn, Hans am Ende, Fritz Overbeck, Heinrich Vogeler das »Künstlerdorf« Worpswede, in das es später auch den Bildhauer Bernhard Hoetger und die Malerin Paula Modersohn-Becker zog. Durch Rainer Maria Rilke, Carl Hauptmann und Manfred Hausmann ging Worpswede auch in die Literaturgeschichte ein.
Die Zionskirche, ein schlichter Saalbau aus Backstein, ließ in den Jahren 1757–1759 Moorkommissar J.C. Findorff erbauen. Im Innern der Kirche sind der hübsche barocke Kanzelaltar mit Rokoko-Ornamenten und das barocke Kruzifix sehenswert. 1922 schuf Bernhard Hoetger am Südwestabhang des Weyerberges den Niedersachsenstein, ein Gefallenenmal aus Backstein. Ebenfalls von Hoetger stammen das von Jugendstilelementen durchsetzte »Café Worpswede« von 1925 und ein zwei Jahre später errichtetes Ausstellungsgebäude, die sogenannte Große Kunstschau. Im »Haus im Schluh«, das in Anlehnung an die typischen Moorbauernhäuser errichtet wurde, werden die Arbeiten Heinrich Vogelers und auch Möbel aus dem von ihm bewohnten »Barkenhof« gezeigt.

Sehenswert: Zionskirche, Niedersachsenstein, Café Worpswede, Große Kunstschau, Haus im Schluh, Philine-Vogeler-Haus, Paula-Modersohn-Becker-Haus, zehn Galerien und Museen; das Teufelsmoor.
Freizeitmöglichkeiten: Ausstellungen, Besichtigungen von Werkstätten; Camping, Golf, Kutschfahrten, Minigolf, Moorwanderungen, Reiten, Wassersport; Hallenbad, Wurftaubenschießstand.
Auskunft: Gemeinde Worpswede – Verkehrsbüro – 2862 Worpswede 1

Hüklüt

Es geht eine alte Sage von einem schrecklichen Hünen, mit Namen Hüklüt, der mit seinem Riesenweibe im Harz hauste. Von da aus suchte er ganz Niedersachsen heim. Er trug eine Schürze, die ihm sein Weib aus Ochsenfellen, immer je zehn übereinander, genäht hatte; darin konnte er tausend Ochsen auf einmal wegschleppen. Aber als er einmal Menschenfleisch geschmeckt hatte, da mochte er kein Ochsenfleisch mehr, und hinfort hatten die armen Bewohner des Niedersachsenlandes die schwere Not.

Da verhieß der Sachsenherzog Rugbrok: wer den Riesen Hüklüt umbringen würde, der solle seine eigene Tochter, die Prinzessin Meta, zur Frau haben. Eines Tages feierte der Herzog ein Fest auf dem Blocksberg, und seine Untertanen brachten ihm Geschenke. Auch ein armer junger Fischer, namens Dietrich, kam mit seinen Gaben. Da ward auf einmal ein Geschrei: »De Hün kummt! De Hün kummt!«[1], und alles stob auseinander. Dietrich aber und die Prinzessin Meta kriegte Hüklüt zu fassen. Doch da er von anderem Raube schon satt war und ihm die beiden niedlichen Menschlein Spaß machten, schonte er sie; die Prinzessin schenkte er seinem Weibe als Spielzeug, und Dietrich behielt er bei sich.

Eines Tages überredete dieser den Riesen zu einer Reise nach Norden; da wolle er ihm etwas Wunderbares zeigen. Hüklüt setzte sich das Menschlein auf den Kopf, daß er ihm den Weg weise, und der hielt sich in dem Buschwald von Riesenhaaren fest. In wenigen hundert Schritten war der Riese bei Bremen angelangt. Da riet ihm Dietrich, seine Schürze mit Bremer Dünensand zu füllen; den werde er brauchen.

Dort, wo Hamme und Wümme sich die Hand reichen zum Ehebunde, wollte Hüklüt über die Wümme schreiten. Dabei glitt ihm ein Zipfel seiner riesigen Schürze aus der Hand, und ein Haufen Dünensand fiel zur Erde. Er blickte aus seiner Höhe hinunter und sagte verächtlich zu Dietrich: »Dar koent noch mal wecke von diene Art up horsten.«[2] Das ist später geschehen, und die Ansiedlung auf diesem Hügel wurde danach »Horst« genannt oder auch, weil sie überall von Wasser umgeben war, »Waterhorst«.

Alsdann gab Dietrich seinem grobknochigen Träger den Rat, er solle ihn von seinem Kopf herunter auf die Erde heben, damit er vorausliefe und den Boden untersuchte, wo er am festesten sei, um Hüklüt tragen zu können. Der dumme Riese glaubte das und setzte Dietrich auf die Erde. Der lief voraus, und als er so weit war, daß Hüklüt ihn noch eben sehen konnte, da winkte er und rief: »Nu kumm man her!«[3] Der Riese sprang mit einem gewaltigen Satz

1 De Hün kummt = der Riese kommt.
2 Dar koent noch mal wecke von diene Art up horsten = da könnten sich mal welche von deiner Art ansiedeln.
3 Nu kumm man her = Nun komm (mal) her.

mitten ins Moor und sank bis an die Hüften ein, so daß er nicht wieder heraus konnte. Dietrich lief, was er laufen konnte, und als er glaubte, daß sein Quälgeist ihm nichts mehr tun könne, da stellte er sich hin und lachte ihn aus. Hüklüt wurde so wütend, daß er allen Sand, den er noch in seiner Schürze hatte, nach ihm hinschleuderte. Zum Glück hatte er in seiner Wut schlecht gezielt und traf vorbei; sonst hätte niemand wieder etwas von Dietrich gesehen.

Der lief in die Häuser der Menschen und rief: »Hüklüt sitt in't Moor!«[4] Sie kamen alle und sahen das scheußliche Ungetüm langsam versinken und wurden froh, daß sie die schreckliche Plage los waren.

Inzwischen war Prinzessin Meta der Riesin entlaufen und kam heim zu ihrem Vater, dem Herzog Rugbrok. Als der erfuhr, was Dietrich fertiggebracht hatte, machte er sein Versprechen wahr: Dietrich erhielt Prinzessin Meta zur Frau, und sie wurden die glücklichsten Menschen der Welt.

Das Moor aber, worin Hüklüt versunken war, nannten die Leute »dat Dübelsmoor«[5], und als sie den hohen Sandberg erblickten, sagten sie: »Den hett de Wind dar henweiht«[6] und nannten ihn den »Weyerbarg«.

4 Hüklüt sitt in't Moor = Hüklüt sitzt im Moor.
5 Dübelsmoor = Teufelsmoor.
6 Den hett de Wind dar henweiht = den hat der Wind dahingeweht.

Der doppelte Schatten

Teufelsmoor

In der Freien und Hansestadt Hamburg sollte ein ungarischer Söldner hingerichtet werden, weil er im langen Krieg auf der anderen Seite gekämpft und manchen Soldaten getötet hatte. Der Mann aber wollte nicht sterben und rief in seiner Todesangst den Teufel. Der Pferdefüßige, diabolisch erfreut über die Aussicht auf Höllenspuk unter den Menschen, kam ohne Umschweife und verhieß dem Magyar ein langes Leben; jedoch unter einer Bedingung: Er müsse einen zweifachen Schatten werfen, einen nach vorn und einen nach hinten – es sei denn, so merkte der Teufel grinsend an, »eine zweite goldfahle Scheibe, wie diese da« – und er deutete auf die bleiche Morgensonne hinter den Gitterstäben – »würde eines Tages am entgegengesetzten Horizont in den Himmel steigen«. »Nichts gegen zwei Schatten«, rief der erbärmlich schlotternde Haudegen. Er ließ sich vom Höllenfürsten aus dem Verlies bringen, und da er, wie vom Teufel beabsichtigt, die Menschen auf den Straßen in Angst und Schrecken versetzte, floh er westwärts. So erreichte er das Teufelsmoor.

Nun waren die Moorleute auf den Warften und in den kleinen Gemeinden gewiß nicht furchtsam. Sie hatten schon das Toben der Herbststürme überstanden, sie wußten, daß sich der unheimliche Nebel wie eine riesige Hand formen konnte, und sie kannten das Rumpeln in den Öfen: Mit festem Blick und geistiger Standfestigkeit war allen Erscheinungen beizukommen. Diesmal aber zitterten selbst sie, wenn der Mann mit dem doppelten Schatten auftauchte. Die Mägde mochten das Haus nicht mehr verlassen. Die Händler hatten keinen Zulauf mehr. »Seid ihr denn alle Hasenfüße?« tobte der Bauer vom Meierhof. Er war der größte und reichste und besaß zudem eine bildschöne Tochter, die er für jeden Mann zu schade fand. »Befreit unsere Straßen von dieser Spukgestalt!« befahl der mächtige Mann. »Seid ihr denn mit eurem Verstand am Ende? Ihr Einfaltspinsel, allesamt! Ich such' einen Kerl, der mit der Erscheinung fertig wird, dieser wird dann meine Tochter erhalten.« Nun, niemand anders als der ärmste unter den Ansiedlern wagte sich an den unseligen Ungarn mit den ruhelos blickenden Augen. Er ließ sich von ihm den Hergang des Teufelspaktes berichten. Dann lud er die unglückliche Gestalt für den nächsten Morgen, just nach Sonnenaufgang, in seine Kate ein. Die Stunde kam. Der unheimliche Fremde tauchte auf, beschienen von dem zaghaften Licht der Morgensonne. »Hela!« erklang ein Ruf. Der Besucher wandte den Kopf und sah den jungen Bauern, der einen Pfannkuchen in die Höhe schleuderte: goldgelb und butterglänzend, eine prächtige abgezirkelte Scheibe, in Form und Farbe so beschaffen, wie es vom Teufel für die Lösung des Bannes gefordert worden war. Fort war der doppelte Schatten, und der befreite Ungar warf sich dem Burschen in die Arme; dieser wiederum wenig später in die Arme der schönen Tochter des Meierhofes. – Die Hochzeit dauerte drei volle Tage, und mit der Braut kam eine unerhörte Mitgift in die Ehe.

FREIE HANSESTADT BREMEN

Hauptstadt des Bundeslandes Bremen, zu dem auch die an der Mündung der Weser und der Geeste gelegene Stadt Bremerhaven gehört, ist die Freie Hansestadt Bremen. Die 570000 Einwohner zählende Hansestadt erstreckt sich zu beiden Seiten der Weser. Bremen ist Sitz bedeutender Industrien und eine Hafenstadt mit Weltgeltung.
Geschichtlich erwähnt wurde Bremen zuerst im Jahre 782 anläßlich der Kämpfe, die der Sachsenherzog Widukind gegen Karl den Großen führte. 787 setzte Karl den Angelsachsen Willehad zum Bischof mit dem Sitz in Bremen ein. Nach der Zerstörung Hamburgs durch die Normannen im Jahre 845 siedelte der Erzbischof Ansgar nach Bremen über, das nun immer stärker der Mittelpunkt des nach Skandinavien gerichteten Missionswerkes wurde. Lange Zeit ebnete die erzbischöfliche Missionstätigkeit dem bremischen Handel und Verkehr die Wege in fremde Länder, doch allmählich gewann das Bürgertum so viel Eigenmacht, daß es nun selbst die Handelsbeziehungen mit dem Norden, dem Osten, den Niederlanden und England ausbaute. Im Jahre 1358 erfolgte Bremens Beitritt zur Hanse, das in der Folgezeit zu einer wichtigen Stütze der bedeutenden Kaufmannsvereinigung wurde.
Für Bremens Entwicklung zum modernen Welthafen waren die letzten Jahrzehnte des 18. Jh. von entscheidender Bedeutung. Der Anstoß hierzu kam von den Vereinigten Staaten, die später zum wichtigsten Handelspartner Bremens avancierten. Voraussetzung für ein Aufblühen des Überseehandels waren leistungsfähige Häfen. Wenn es ehemals kriegerische Nachbarn und Seeräuber waren, die den Handel beunruhigten, so drohte Bremen seit dem 16. Jh. die Gefahr durch die zunehmende Versandung der Unterweser vom Meer abgetrennt zu werden. 1619–1622 schuf Bremen auf eigenem Gebiet, 17 km unterhalb der Stadt, dort wo die Lesum in die Weser mündet, den neuen Hafen Vegesack, doch bedeutete diese Anlage nur eine vorübergehende Rettung. Bald konnten die Schiffe nicht einmal mehr bis Vegesack gelangen, und die Bremer sahen sich genötigt, die Orte Elsfleth und Brake im konkurrierenden Herzogtum Oldenburg als Ankerplatz zu benutzen. Dem weitsichtigen Bremer Bürgermeister Johann Smidt (1773–1857) gelang es, im Jahre 1827 vom Königreich Hannover einen Landstreifen 70 km nördlich von Bremen zu erwerben und einen neuen Bremer Hafen (Bremerhaven) zu gründen, wodurch die Wettbewerbsfähigkeit Bremens im Weltverkehr sichergestellt wurde. Bremens Tochterstadt Bremerhaven am Meer nahm einen raschen Aufstieg und gehört heute zu den bedeutendsten Fahrgast-, Hochseefischerei- und Containerhäfen des Kontinents.
Bremen entwickelte sich um den sehr alten Siedlungskern auf dem langgestreckten Dünenrücken des rechten Weserufers an der letzten Furt vor der Mündung der Weser in die Nordsee. Spätere Erweiterungen und neue Stadtteile legten sich wie Baumringe um diesen Kern, der mit dem Dom St. Petri (1042), der Ratskirche Unser Lieben Frauen (1226), dem Roland (1404), dem Rathaus (1405), dem Haus der Kaufleute, Schütting genannt (1536), und den Bürgerhäusern (17.–19. Jh.) noch heute dominierende Mitte ist. Die Altstadt um diesen Kern wird durch die im 16. und 17. Jh. geschaffenen Wallanlagen begrenzt, die im 19. Jh. geschleift und in einen Park- und Grüngürtel umgewandelt wurden.
Der Dom St. Petri erhebt sich auf der höchsten Düne der Weserniederung. Im Jahre 1042 wurde mit dem Bau des jetzigen Domes begonnen. Besonders eindrucksvoll erhalten sind aus dieser Zeit die frühromanische Pfeilerbasilika sowie die dreischiffige

Westkrypta (1068 geweiht) und die dreischiffige Ostkrypta (um 1100 geweiht). Das Nordschiff wurde im frühen 16. Jh. in eine hochgotische Hallenkirche mit kostbarem Netzgewölbe umgebaut. Das Äußere des Domes wird bestimmt durch die zwei mächtigen Doppeltürme und den Vierungsturm (um 1900). Im Innern sind der »Thronende Christus« (um 1050), das von vier Löwenreitern getragene bronzene Taufbecken (um 1220), die neun Chorgestühlwangen (Ende 14. Jh.), die geschnitzte Kanzel (1638) und eine Reihe von Epitaphien besonders sehenswert. Die älteste Pfarrkirche Bremens ist die Ratskirche Unser Lieben Frauen, eine im 12. und 13. Jh. entstandene dreischiffige Hallenkirche mit reich geschnitzter Spätrenaissance-Kanzel (1709) im Innern. Der Bremer Roland, ein fünfeinhalb Meter großer steinerner Riese, wurde 1404 als Symbol der Freiheit und Unabhängigkeit der Stadt errichtet. Mit dem Bau des Rathauses, das an seiner Schauwand mit übermannshohen Steinfiguren dem Kaiser und den sieben Kurfürsten huldigt, wurde 1405, ein Jahr nach der Fertigstellung des steinernen Rolands, begonnen. Anfang des 17. Jh. wurde das gotische Rathaus nach den Entwürfen von L. von Bentheim umgebaut, wobei es auch die meisterhafte Spätrenaissance-Fassade im Stil der Weserrenaissance erhielt. Die Ratshalle im ersten Stockwerk zeigt große Fresken des niederrheinischen Meisters B. Bruyn, bedeutende Barockschnitzereien und die von H. Vogeler im reinen Jugendstil (1905) umgestaltete Güldenkammer. Der Ratskeller mit seinen riesigen bemalten Weinfässern des 17. und 18. Jh. gehört zu den berühmtesten Weinschenken. Unweit vom Ratskellereingang steht das von G. Marcks geschaffene Denkmal der Bremer Stadtmusikanten, der Endpunkt der Deutschen Märchenstraße.
Weiterhin sehenswert auf dem städtebaulich bedeutenden Markt sind an der Westseite die Bürgerhäuser des 17.–19. Jh. (Rathsapotheke, Sparkassengebäude mit Rokokofassade des Bremer Bildhauers T. W. Freese um 1750) sowie an der Südseite der von dem Antwerpener Baumeister J. den Buscheneer in den Jahren 1537–1539 errichtete Schütting, einst Versammlungshaus der Bremer Kaufmannsgilde. Vom Marktplatz gelangt man durch eine eingangs unscheinbare Gasse, die neben dem Schütting in Richtung Weser führt, in die Böttcherstraße, eine Laden- und Museumsstraße, die der Kaffeekaufmann und Kunstfreund Roselius in den Jahren 1926–1931 von den Architekten Runge und Scotland sowie dem Bildhauer Hoetger neu gestalten ließ.
Die St.-Martini-Kirche, reizvoll unmittelbar an der Weser gelegen, geht in ihrem älteren Teil auf das Jahr 1229 zurück. Ursprünglich eine dreischiffige Hallenbasilika wurde sie 1384 zu einer spätgotischen Hallenkirche umgebaut. Die im Krieg zerstörte Stadtwaage in der Langenstraße aus dem 16. Jh. (L. von Bentheim) wurde 1959–1961 neu errichtet.
Vom historischen Bremen ist nur das Schnoorviertel nahe der Weser als zusammenhängender Stadtteil erhalten geblieben. Die malerischen kleinen Häuser des 15. bis 18. Jh. vermitteln einen Eindruck vom alten vergangenen Bremen.

Sehenswert: Markt: Dom, Ratskirche Unser Lieben Frauen, Rathaus, Roland, Schütting, Bürgerhäuser, Bremer Stadtmusikanten; Böttcherstraße, Stadtwaage, St.-Martini-Kirche, Schnoor, Wallanlagen mit Windmühle, die Bremer Häfen.
Freizeitmöglichkeiten: Angeln, Camping, Dampferfahrten, Flugsport, Golf, Minigolf, Reiten, Segeln, Tennis, Wandern, Wassersport; Freibad, Hallenbad, Eislaufbahn, Pferdegalopprennbahn, Rollschuhbahn.
Auskunft: Verkehrsverein der Freien Hansestadt Bremen – 2800 Bremen 1

Die Bremer Stadtmusikanten

Es hatte ein Mann einen Esel, der schon lange Jahre die Säcke unverdrossen zur Mühle getragen hatte, dessen Kräfte aber nun zu Ende gingen, so daß er zur Arbeit immer untauglicher ward. Da dachte der Herr daran, ihn aus dem Futter zu schaffen, aber der Esel merkte, daß kein guter Wind wehte, lief fort und machte sich auf den Weg nach Bremen: dort, meinte er, könnte er ja Stadtmusikant werden. Als er ein Weilchen fortgegangen war, fand er einen Jagdhund auf dem Wege liegen, der jappste wie einer, der sich müde gelaufen hat. »Nun, was jappst du so, Packan?« fragte der Esel. »Ach«, sagte der Hund, »weil ich alt bin und jeden Tag schwächer werde, auch auf der Jagd nicht mehr fort kann, hat mich mein Herr wollen totschlagen, da hab ich Reißaus genommen; aber womit soll ich nun mein Brot verdienen?« »Weißt du was«, sprach der Esel, »ich gehe nach Bremen und werde dort Stadtmusikant, geh mit und laß dich auch bei der Musik annehmen. Ich spiele die Laute, und du schlägst die Pauken.« Der Hund war's zufrieden, und sie gingen weiter. Es dauerte nicht lange, so saß da eine Katze an dem Weg und machte ein Gesicht wie drei Tage Regenwetter. »Nun, was ist dir in die Quere gekommen, alter Bartputzer?« sprach der Esel. »Wer kann da lustig sein, wenn's einem an den Kragen geht«, antwortete die Katze, »weil ich nun zu Jahren komme, meine Zähne stumpf werden, und ich lieber hinter dem Ofen sitze und spinne, als nach Mäusen herumjage, hat mich meine Frau ersäufen wollen; ich habe mich zwar noch fortgemacht, aber nun ist guter Rat teuer: wo soll ich hin?« »Geh mit uns nach Bremen, du verstehst dich doch auf die Nachtmusik, da kannst du ein Stadtmusikant werden.« Die Katze hielt das für gut und ging mit. Darauf kamen die drei Landesflüchtigen an einem Hof vorbei, da saß auf dem Tor der Haushahn und schrie aus Leibeskräften. »Du schreist einem durch Mark und Bein«, sprach der Esel, »was hast du vor?« »Da hab ich gut Wetter prophezeit«, sprach der Hahn, »weil unserer lieben Frauen Tag ist, wo sie dem Christkindlein die Hemden gewaschen hat und sie trocknen will; aber weil morgen zum Sonntag Gäste kommen, so hat die Hausfrau doch kein Erbarmen und hat der Köchin gesagt, sie wollte mich morgen in der Suppe essen, und da soll ich mir heut abend den Kopf abschneiden lassen. Nun schrei ich aus vollem Hals, solang ich noch kann.« »Ei, was, du Rotkopf«, sagte der Esel, »zieh lieber mit uns fort, wir gehen nach Bremen, etwas Besseres als den Tod findest du überall; du hast eine gute Stimme, und wenn wir zusammen musizieren, so muß es eine Art haben.« Der Hahn ließ sich den Vorschlag gefallen, und sie gingen alle viere zusammen fort.

Sie konnten aber die Stadt Bremen in einem Tag nicht erreichen und kamen abends in einen Wald, wo sie übernachten wollten. Der Esel und der Hund legten sich unter einen großen Baum, die Katze und der Hahn machten sich in die Äste, der Hahn aber flog bis in die Spitze, wo es am sichersten für ihn war.

Ehe er einschlief, sah er sich noch einmal nach allen vier Winden um, da deuchte ihn, er sähe in der Ferne ein Fünkchen brennen, und rief seinen Gesellen zu, es müßte nicht gar weit ein Haus sein, denn es scheine ein Licht. Sprach der Esel: »So müssen wir uns aufmachen und noch hingehen, denn hier ist die Herberge schlecht.« Der Hund meinte, ein paar Knochen und etwas Fleisch dran täten ihm auch gut. Also machten sie sich auf den Weg nach der Gegend, wo das Licht war, und sahen es bald heller schimmern, und es ward immer größer, bis sie vor ein hell erleuchtetes Räuberhaus kamen. Der Esel, als der größte, näherte sich dem Fenster und schaute hinein. »Was siehst du, Grauschimmel?« fragte der Hahn. »Was ich sehe?« antwortete der Esel, »einen gedeckten Tisch mit schönem Essen und Trinken, und Räuber sitzen daran und lassens sich wohl sein.« »Das wäre was für uns«, sprach der Hahn. »Ja, ja, ach, wären wir da!« sagte der Esel. Da ratschlagten die Tiere, wie sie es anfangen müßten, um die Räuber hinauszujagen, und fanden endlich ein Mittel. Der Esel mußte sich mit den Vorderfüßen auf das Fenster stellen, der Hund auf des Esels Rücken springen, die Katze auf den Hund klettern, und endlich flog der Hahn hinauf und setzte sich der Katze auf den Kopf. Wie das geschehen war, fingen sie auf ein Zeichen insgesamt an, ihre Musik zu machen: der Esel schrie, der Hund bellte, die Katze miaute, und der Hahn krähte; dann stürzten sie durch das Fenster in die Stube hinein, daß die Scheiben klirrten. Die Räuber fuhren bei dem entsetzlichen Geschrei in die Höhe, meinten nicht anders, als ein Gespenst käme herein und flohen in größter Furcht in den Wald hinaus. Nun setzten sich die vier Gesellen an den Tisch, nahmen mit dem vorlieb, was übriggeblieben war, und aßen, als wenn sie vier Wochen hungern sollten.

Wie die vier Spielleute fertig waren, löschten sie das Licht aus und suchten sich eine Schlafstätte, jeder nach seiner Natur und Bequemlichkeit. Der Esel legte sich auf den Mist, der Hund hinter die Türe, die Katze auf den Herd in die warme Asche, und der Hahn setzte sich auf den Hahnenbalken: und weil sie müde waren von ihrem langen Weg, schliefen sie auch bald ein. Als Mitternacht vorbei war und die Räuber von weitem sahen, daß kein Licht mehr im Haus brannte, auch alles ruhig schien, sprach der Hauptmann: »Wir hätten uns doch nicht sollen ins Bockshorn jagen lassen«, und hieß einen hingehen und das Haus untersuchen. Der Abgeschickte fand alles still, ging in die Küche, ein Licht anzuzünden, und weil er die glühenden, feurigen Augen der Katze für lebende Kohlen ansah, hielt er ein Schwefelhölzchen daran, daß es Feuer fangen sollte. Aber die Katze verstand keinen Spaß, sprang ihm ins Gesicht, spie und kratzte. Da erschrak er gewaltig, lief und wollte zur Hintertüre hinaus, aber der Hund, der da lag, sprang auf und biß ihn ins Bein: und als er über den Hof an dem Miste vorbeirannte, gab ihm der Esel noch einen tüchtigen Schlag mit dem Hinterfuß; der Hahn aber, der vom Lärmen aus dem Schlaf geweckt und munter geworden war, rief vom Balken herab »Kikeriki!«. Da lief der Räuber, was er konnte, zu seinem Hauptmann zurück

und sprach: »Ach, in dem Haus sitzt eine greuliche Hexe, die hat mich angefaucht und mit ihren langen Fingern mir das Gesicht zerkratzt: und vor der Türe steht ein Mann mit einem Messer, der hat mich ins Bein gestochen: und auf dem Hof liegt ein schwarzes Ungetüm, das hat mit einer Holzkeule auf mich losgeschlagen: und oben auf dem Dache, da sitzt der Richter, der rief bringt mir den Schelm her. Da machte ich, daß ich fortkam.«
Von nun an getrauten sich die Räuber nicht weiter in das Haus, den vier Bremer Musikanten gefiel's aber so wohl darin, daß sie nicht wieder herauswollten. Und der das zuletzt erzählt hat, dem ist der Mund noch warm.

Vignetten auf der Rückseite des Schutzumschlages

Hanau	Brüder Grimm
Gelnhausen	Kaiserpfalz
Steinau	Marionettentheater
Schlüchtern	Die Kobolde im Steckelberg
Freiensteinau	Der Schneider von Freiensteinau
Grebenhain	Geprellter Teufel zu Herchenhain
Herbstein	Fachwerkrathaus mit Kirche
Lauterbach	Strolch
Alsfeld	Rathaus
Kirtorf	Der Bauer und der Wassermann
Marburg	Elisabethkirche
Schrecksbach	Das Gespenst in der Kirche von Schönberg
Schwalmstadt	Rotkäppchen
Neukirchen	Die weiße Frau zu Christerode
Oberaula	Die drei Jungfrauen von Schloßrain
Schwarzenborn	Die kleine Erfrischung
Knüllwald	Das graue Männlein in der Kirche zu Rengshausen
Homberg	Marienkirche
Fritzlar	Dom
Gudensberg	Kaiser Karl im Odenberg
Niedenstein	Hessenturm
Baunatal	Märchenerzählerin Dorothea Viehmann
Kassel	Brüder-Grimm-Museum
Fuldatal	Museum für mechanische Musikinstrumente
Hann. Münden	Doktor Eisenbart
Reinhardshagen	Barockschloß
Hofgeismar	Gesundbrunnentempel
Hofgeismar-Sababurg	Dornröschen
Trendelburg	Burg Trendelburg
Bad Karlshafen	Rathaus
Kaufungen	Die hl. Kunigunde
Helsa	Kirche mit Fachwerkhaus
Eschwege	Die Wichtelmännchen und Schuster Jobst in Eschwege
Bad Sooden-Allendorf	Mädchen rettet eine Edelfrau mit einem spukenden Mönchsbild
Witzenhausen	Kirschenkönigin
Friedland	Europäisches Brotmuseum
Gleichen	Brüder-Grimm-Waldbühne
Ebergötzen	Max und Moritz
Göttingen	Gänselieselbrunnen
Dransfeld	Die Dransfelder Hasenmelker
Oberweser	Rathaus
Wahlsburg	Klosterkirche
Bodenfelde	Der Fährmann an der Weser
Holzminden-Neuhaus	Hackelberg
Holzminden	Wilhelm-Raabe-Brunnen
Polle	Burg Polle

Bodenwerder	Des Baron Münchhausens Abenteuer auf der Reise nach Rußland
Bad Pyrmont	Der Hyllige Born
Bückeburg	Stadtkirche
Bad Oeynhausen	Jordansprudel
Porta Westfalica	Kaiser-Wilhelm-Denkmal
Minden	Dom
Nienburg	Rathaus
Verden	Deutsches Pferdemuseum
Bremen	Bremer Stadtmusikanten
Worpswede	Malerpalette
Teufelsmoor	Moorteufel

Literatur

Aarne, Antti/Thompson, Stith	The Types of the Folktale, Helsinki [3]1961
Althessischer Volks-Kalender	Melsungen 1882
Backes, Magnus/ Feldtkeller, Hans	Kunstwanderungen in Hessen, Stuttgart 1962
Baedeker, Karl	Bremen, Freiburg 1974
Bechstein, Ludwig	Deutsches Sagenbuch, Leipzig 1853
Beneke, Otto	Hamburgische Geschichten und Sagen, Hamburg [2]1864
Beste, Konrad	Das Weserbergland, Essen 1959
Brockhaus	Enzyklopädie in zwanzig Bänden, Wiesbaden [17]1966
Busch, Wilhelm	Gesammelte Werke, Bd. 1, München [85]1922
Deneke, Ludwig	Jacob Grimm und sein Bruder Wilhelm, Stuttgart 1971
Freie Hansestadt Bremen	Bremen heute, Bremen 1974
Grässe, Johann Georg Theodor	Sagenbuch des Preußischen Staats Bd. 1 und 2, Glogau 1868/71
Grimm, Jacob	Deutsche Mythologie, Bd. 2, Göttingen [2]1844
Grimm, Jacob und Wilhelm	Deutsche Sagen, Leipzig 1911
Grimm, Jacob und Wilhelm	Kinder- und Hausmärchen, Berlin 1812/15
Grimm, Jacob und Wilhelm	Kinder- und Hausmärchen, Göttingen 1857
Heßler, Carl	Sagenkranz aus Hessen Nassau, Kassel 1894
Heßler, Carl	Hessische Landes- und Volkskunde, Bd. 1: Hessische Landeskunde, zweite Hälfte, Marburg 1907
Hoffmeister, Philipp	Hessische Volksdichtung in Sagen und Mährchen, Schwänken und Schnurren etc. Marburg 1869
Hoops, Heinrich	Geschichte des Bremer Blocklandes, Bremen 1926
Hootz, Reinhardt	Deutsche Kunstdenkmäler – Ein Bildhandbuch: Hessen, München 1964
Iba, Eberhard Michael	Sagen und Geschichten aus Nordhessen, Hofgeismar [3]1976

Ketels, Herta	(Manuskript) Freiensteinau 1977
Knaurs	Kulturführer Deutschland, München 1976
Kopp, Arthur	Eisenbart im Leben und im Liede, Berlin 1900
Kuhn, A./Schwartz, W.	Norddeutsche Sagen, Märchen und Gebräuche, Leipzig 1848
Landkreis Osterholz	Märchenstraße rund um das Teufelsmoor, Osterholz-Scharmbeck o.J.
Lücke, Heinrich	Vom Werwolf, Duderstadt 1938
Lüthi, Max	Märchen, Stuttgart [5]1974
Lynker, Karl	Deutsche Sagen und Sitten in Hessischen Gauen, Kassel/Göttingen [2]1860
Meyer, Fritz	Oberkaufungen im Wandel der Zeiten, Melsungen 1962
Mick, Ernst-Wolfgang	Die Weser, München 1962
Neumann, H.	Rund um den Altheimer, Heft 1, Sagen, Märchen und Erzählungen aus dem Kreis Rotenburg, Rotenburg 1950
Paetow, Karl	Die schönsten Wesersagen, Hameln [3]1974
Peuckert, Will-Erich	Sagen, o.O. 1965
Pfister, Hermann v.	Sagen und Aberglaube aus Hessen und Nassau, Marburg 1885
Pusen, Hans	Niedersachsen, Nürnberg 1973
Raspe, Rudolph Erich/ Bürger, Gottfried August	Des Freiherren von Münchhausens Wunderbare Reise und Abenteuer zu Wasser und zu Lande, Göttingen 1855
Riege, Rudolf	Kleines Weserlexikon, Hameln 1953
Rock, Balzer	Die Ortsgeschichte von Bodenfelde, Uslar 1940/41
Röhrich, Lutz	Sage, Stuttgart [2]1971
Rohde, Heinrich	Weserwellen, Hofgeismar o.J.
Schambach, Georg/ Müller, Wilhelm	Niedersächsische Sagen und Märchen, Göttingen 1855
Schneider, Emil	Hessisches Sagenbuch, Marburg [2]1905 und Marburg [5]1923
Schneider, Paul	Westfälische Sagen, Berlin 1927
Schoof, Wilhelm	Zur Entstehungsgeschichte der Grimmschen Märchen, Hamburg 1959
Schwalm, Johann Heinrich	Der Kreis Ziegenhain, Marburg 1908
Spangenberg, Georg	Festschrift, Helsa 1977
Straub, August	Nordhessen, Nürnberg 1969
Teiwes, A.	Die Sagen des Kreises Holzminden, Holzminden 1921
Vollmöller, Kurt	(Manuskript) Lauterbach 1976
Wagner, Julius	Harms Landeskunde Hessen, München 1961
Weddingen, Otto/ Hartmann, Hermann	Der Sagenschatz Westfalens, Minden 1884
Weichelt, Hermann	Hannoversche Geschichten und Sagen, Leipzig 1908
Wiegmann, W.	Heimatkunde des Fürstentums Schaumburg-Lippe, Stadthagen 1905
Wilpert, Gero v.	Sachwörterbuch der Literatur, Stuttgart [5]1969
Zaunert, Paul	Hessen-Nassauische Sagen, Jena 1929

Herausgeber und Verlag danken allen Verlagen, Autoren und sonstigen Inhabern von Textrechten, die für dieses Buch eine Nachdruckerlaubnis erteilten.

Inhalts- und Herkunftsangaben

Hanau	Der Martinswein in Hanau	(Lynker, S. 227 ff.)
Gelnhausen	Die Erbauung von Gelnhausen	(Grässe, Bd. 2, S. 699 f.) Abweichend vom Originaltext wurde der letzte Satz ausgelassen
Steinau	Der Malegus bei Steinau	(Zaunert, S. 321 f.)
Schlüchtern	Die Kobolde im Stek-kelberg	(Lynker, S. 56 f.)
Freiensteinau	Der Schneider von Freiensteinau	(Ketels)
Grebenhain	Geprellter Teufel zu Herchenhain	(v. Pfister, S. 34 f.)
Herbstein	Das Schloß in der Kirche zu Herbstein	(Grässe, Bd. 2, S. 741 f.) Sagenbeginn um den ersten Abschnitt gekürzt
Lauterbach	In Lauterbach hab' ich mein Strumpf verlor'n	(Vollmöller und Text des Volksliedes)
Alsfeld	Der Hochzeiter aus Berfa	(Schwalm, S. 39 f.) Originaltitel: Eine Braut, die dem Hexenberg (Bechtelsberg) einen Besuch abstattet
Kirtorf	Der Bauer und der Wassermann	(v. Pfister, S. 51 f.) Originaltitel: Lehrbacher Bauer und Nöcke
Marburg	Die heilige Elisabeth, 1. Sage	(Erzählt von W. Iba nach Quellentexten von Schneider, E. und Lynker) Originaltitel: Die heilige Elisabeth
	2. Sage	(Schneider, E., S. 2 ff.) Originaltitel: Der Bau der St. Elisabethkirche zu Marburg. Auslassung eines Satzes und Textänderung in der Sagenmitte
Schrecksbach	Die Kirche von Schön-berg	(Schneider, E., S. 26 f.) Sagenbeginn gegenüber Originaltext um den ersten Abschnitt gekürzt
Schwalmstadt	Rotkäppchen	(Grimm, Kinder- und Hausmärchen, S. 140 ff.)
Neukirchen	Die weiße Frau zu Christerode	(Schneider, E., S. 27 f.) Sagenende um den letzten Satz gekürzt; Sagenanfang geändert
Oberaula	Die drei Jungfrauen vom Schloßrain	(Lynker, S. 63)
Schwarzenborn	Die kleine Erfrischung	(Schneider, E., S. 35 f.)
Knüllwald	Das graue Männlein in der Kirche zu Rengs-hausen	(Neumann, H., S. 38) Sagenende um den letzten Satz gekürzt
Homberg	Der Erleborn	(Hoffmeister, S. 51 f.)
Fritzlar	Engel beschützen den Dom zu Fritzlar	(Schneider, E., S. 37 ff.) Originaltitel: Engel beschützen die St. Peterskirche zu Fritzlar

Gudensberg	Kaiser Karl im Odenberg	(Heßler, S. 167 ff.)
Niedenstein	Die Hunde	(Lynker, S. 138 ff.)
Baunatal	Der Hünstein	(Erzählt von E. M. Iba nach Quellentexten von Lynker und Heßler)
Kassel	Landgraf Moritz von Hessen	(Heßler, S. 133 ff.)
Fuldatal	Der Teufel bringt Erbsen	(Schambach/Müller, S. 162)
Hann. Münden	Der Doktor Eisenbart	(Kopp, S. 56 f.) Refrain Stadt Hann. Münden
Reinhardshagen	Die Sage vom Reinhardswald	(E. M. Iba, S. 9 f.)
Hofgeismar	Wie der Gesundbrunnen entstand	(Rohde, S. 20 ff.) Originaltitel: Wie der Gesundbrunnen bei Hofgeismar entstand
Hofgeismar-Sababurg	Dornröschen	(Grimm, Kinder- und Hausmärchen, S. 251 ff.)
Trendelburg	Die Jungfrau im Brunnen bei Trendelburg	(Grässe, Bd. 2, S. 767 f.)
Bad Karlshafen	Die Entstehung der Stadt Karlshafen	(Rohde, S. 43) Sagenende um den letzten Satz gekürzt
Kaufungen	Kunigunde, die Kaiserliche Nonne	(Meyer, S. 329) Auslassung eines Abschnittes gegenüber Originaltext
Helsa	Hoher Besuch	(Spangenberg, S. 52) Originaltext ohne Titel
Meißner	Frau Holle	(Grimm, Kinder- und Hausmärchen, S. 133 ff.)
Eschwege	Die Wichtelmänner und Schuster Jobst in Eschwege	(Schneider, E., S. 90 ff.) Sagenbeginn um eine Seite gekürzt. Beginn S. 91
Bad Sooden-Allendorf	Mädchen rettet eine Edelfrau mit einem spukenden Mönchsbild	(Althessischer Volks-Kalender, S. 50) Originaltext ohne Titel; Zusammenstellung der Sage S. 50
Witzenhausen	Auszug der Wichtel aus dem Burgberg bei Ermschwerd	(Schneider, E., S. 78 f.)
Friedland	Vom Werwolf	(Lücke, S. 55)
Gleichen	Die Gleichen	(Schambach/Müller, S. 3 f.)
Ebergötzen	Schneider Böck fällt ins Wasser	(Busch, S. 19 ff.) Originaltext ohne diesen Titel
Göttingen	Das stille Volk zu Plesse	(Bechstein, S. 324 ff.)
Dransfeld	Die Dransfelder Hasenmelker	(Weichelt, S. 82) Originaltitel: Die Dransfelder »Hasenmelker« und die Göttinger »Eselsfresser«, S. 82 ff. Schluß der Sage im Buch über die Deutsche Märchenstraße auf S. 82 nach dem 2. Abschnitt
Hann Münden-Hemeln	Die drei Rehe	(Schambach/Müller, S. 190 f.)
Oberweser	Giesela und die Burg von Gieselwerder	(Rohde, Weserwellen, S. 62 f.) Originaltitel: Gieselwerder. Sagenende um den letzten Satz gekürzt

Wahlsburg	Lippoldsberg	(Rohde, Weserwellen, S. 54 ff.)
Bodenfelde	Der Fährmann an der Weser	(Rock, S. 98) Originaltext ohne Titel
Holzminden	Der Fluch der armen Tagelöhnerin	(Teiwes, S. 22 ff.)
Holzminden-Neuhaus	Hackelbergs Tod und sein Grab	(Erzählt von W. Iba nach Quellentexten Schambach/Müller)
Polle	Der Köterberg	(Bechstein, S. 246 f.) Originaltitel: Köterberg. Sagenbeginn um den ersten Abschnitt gekürzt
Bodenwerder	Des Baron Münchhausens Abenteuer auf der Reise nach Rußland	(Raspe/Bürger, S. 3 ff.) Originaltitel: Des Barons Abenteuer auf der Reise nach Rußland und in St. Petersburg
Bad Pyrmont	Die Wasserfee	(Schneider, Paul, S. 64 ff.)
Hameln	Die Kinder zu Hameln	(Grimm, Deutsche Sagen, S. 271 ff.) Sagenende nach: »... und in Siebenbürgen wieder herausgekommen.« durch Autor festgelegt
Bückeburg	Die Schaumburger Riesen	(Wiegmann, S. 218 f.)
Bad Oeynhausen	Wie die Leiter in Oeynhausens Wappen kam	(Paetow, S. 223) Sagenbeginn um den 1. Abschnitt gekürzt
Porta Westfalica	Die Entstehung der Porta Westfalica	(Grässe, Bd. 1, S. 709) Sagenende um zwei Sätze gekürzt
Minden	Burg Wisingen, Min-Din, Minden	(Paetow, S. 200 f.)
Nienburg	Die glühenden Kohlen in Nienburg	(Weichelt, S. 36 f.) Sagenbeginn um den ersten Satz gekürzt
Verden	Von Klaus Störtebeker und Godeke Michels	(Benecke, S. 109 ff.) Sagenbeginn Mitte der S. 110. Sagenende S. 115
Worpswede	Hüklüt	(Hoops, S. 278 f.)
Teufelsmoor	Der doppelte Schatten	(Landkreis Osterholz) Originaltitel: Der gefürchtete Ungar. Sagenende um die letzten beiden Abschnitte gekürzt
Bremen	Die Bremer Stadtmusikanten	(Grimm, Kinder- und Hausmärchen, S. 145 ff.)

Alphabetisches Ortsregister

Routenverlauf der
DEUTSCHEN MÄRCHENSTRASSE

(Abkürzungen: B = Bundesstraße; L = Landesstraße; K = Kreisstraße)

von	*nach*	*Straße*
Hanau	Gelnhausen	B 40
Gelnhausen	Steinau	B 40
Steinau	Schlüchtern	B 40
Schlüchtern	Freiensteinau	L
Freiensteinau	Grebenhain	L
Grebenhain	Herbstein	B 275
Herbstein	Lauterbach	B 275
Lauterbach	Alsfeld	B 254
Alsfeld	Kirtorf	B 62
Kirtorf	Marburg/L.	B 62 bis Kirchhain, dann L
Marburg/L.	Schrecksbach	Straße zurück nach Alsfeld. Von Alsfeld B 254
Schrecksbach	Schwalmstadt	B 254
Schwalmstadt	Neukirchen	B 454
Neukirchen	Oberaula	B 454
Oberaula	Schwarzenborn	L über Grebenhagen
Schwarzenborn	Knüllwald	Straße nach Grebenhagen, dann L
Knüllwald	Homberg	B 323
Homberg	Fritzlar	B 254 bis Wabern, dann B 253
Fritzlar	Gudensberg	B 3
Gudensberg	Niedenstein	L über Metze
Niedenstein	Baunatal	L
Baunatal	Kassel	B 3

Routenvorschlag 1:

Kassel	Fuldatal	B 3
Fuldatal	Hann. Münden	B 3
Hann. Münden	Reinhardshagen	B 80
Reinhardshagen	Hofgeismar	L über Udenhausen-Carlsdorf
Hofgeismar	Hofgeismar-Sababurg	L
Hofgeismar-Sababurg	Trendelburg	L über Gottsbüren
Trendelburg	Bad Karlshafen	B 83
Bad Karlshafen	Holzminden-Neuhaus	K zur B 241 nach Amelith, vor Schönhagen B 497 – Hier Vereinigung mit Route 1 von Kassel

Routenvorschlag 2:

Kassel	Kaufungen	B 7
Kaufungen	Helsa	B 7
Helsa	Meissner	B 451 bis Großalmerode dann L
Meissner	Eschwege	L
Eschwege	Bad Sooden-Allendorf	B 27
Bad Sooden-Allendorf	Witzenhausen	B 27 nach Werleshausen, dann Abzweigung L
Witzenhausen	Friedland-Mollenfelde	B 80 bis Gertenbach, dann L
Friedland-Mollenfelde	Gleichen-Bremke	L nach Friedland, dann B 27 bis Groß Schneen, L
Gleichen-Bremke	Ebergötzen	L nach Reinhagen, dann L nach Kl. Lengden und Landolfshausen
Ebergötzen	Göttingen	B 27
Göttingen	Dransfeld	B 3
Dransfeld	Hann. Münden-Hemeln	L
Hann. Münden-Hemeln	Oberweser-Gieselwerder	L
Oberweser-Gieselwerder	Wahlsburg-Lippoldsberg	L
Wahlsburg-Lippoldsberg	Bodenfelde	L
Bodenfelde	Holzminden-Neuhaus	L nach Amelith, dann B 241, vor Schönhagen B 497
Holzminden-Neuhaus	Holzminden	B 497
Holzminden	Polle	Straße nach Stahle, dann B 83
Polle	Bodenwerder	B 83
Bodenwerder	Bad Pyrmont	B 83 bis Grohnde, dann L
Bad Pyrmont	Hameln	L nach Grießem, dann B 1
Hameln	Bückeburg	B 83
Bückeburg	Bad Oeynhausen	L nach Eisbergen, L entlang der Weser nach Vlotho, dann B 514
Bad Oeynhausen	Porta Westfalica	B 61
Porta Westfalica	Minden	B 61
Minden	Nienburg	B 61 bis Glissen, dann B 215
Nienburg	Verden/Aller	B 215
Verden/Aller	Worpswede	L Achim, Oyten, Fischerhude, Heidberg
Worpswede	Bremen	L Überhamm, dann Abzweigung L nach Osterholz-Scharmbeck (durch das Teufelsmoor) L Niederende, Ritterhude, Bremen

Bildverzeichnis

Bildnachweis

Buchumschlag Vorderseite: Foto Hans Lux, Emstal.
Buchumschlag Rückseite: Zeichnung Klaus Vondermühl, Hofgeismar.

Fotos stellten zur Verfügung die Städte:
Hanau S. 15, Gelnhausen S. 17, Steinau an der Straße S. 21, Herbstein S. 32. Lauterbach S. 35, Alsfeld S. 38, Marburg S. 44, Neukirchen S. 55, Schwarzenborn S. 61, Homberg S. 67, Fritzlar S. 71, Gudensberg S. 73, Niedenstein S. 77, Kassel S. 83, Hann. Münden S. 88, Trendelburg S. 103, Bad Karlshafen S. 107, Bad Sooden-Allendorf S. 121, Witzenhausen S. 125, Göttingen S. 138, Dransfeld S. 141, Holzminden S. 155, Holzminden-Neuhaus S. 157, Bodenwerder S. 163, Bad Pyrmont S. 167, Bückeburg S. 175, Bad Oeynhausen S. 179, Porta Westfalica S. 181, Minden S. 185, Nienburg S. 187, Verden S. 191, Bremen S. 203.

Fotos stellten zur Verfügung die Flecken und Gemeinden:
Freiensteinau S. 27, Grebenhain S. 29, Schrecksbach S. 48, Fuldatal S. 87, Kaufungen S. 109, Helsa S. 112, Gleichen S. 131, Ebergötzen S. 133, Oberweser S. 147, Wahlsburg S.150, Bodenfelde S. 153, Polle S. 160.

Privatfotos stellten zur Verfügung:
Schlüchtern: E. und W. Freud S. 24, Schwalmstadt: Arb.Gemeinschaft Dtsch. Märchenstraße S. 52, Kirtorf: A. Böhm S. 41, Oberaula: E.M. Iba S. 59, Knüllwald: H. Jäger S. 65, Baunatal: H. Pflug S. 79, Reinhardshagen: W. Iba S. 93, Hofgeismar: N. Angermeier S. 96, Hofgeismar-Sababurg: H. Lux S. 99, Meissner: W. Kistner S. 115, Eschwege: E.F. Fischer S. 118, Friedland: G. Kunkel S. 127, Hann. Münden-Hemeln: H. Potthast S. 144, Hameln: Verkehrsverein S. 172, Worpswede: R. Dodenhoff S. 196, Teufelsmoor: R. Dodenhoff S. 199.